Shahan Varjabedian
6e B

D1517769

JEAN-LUC PICARD

IMAGES DU CANADA

COLLECTION

EXPLORATION DE LA RÉALITÉ

Manuel de l'élève

Centre Educatif et Culturel inc.

8101, BOUL. MÉTROPOLITAIN, MONTRÉAL (QUÉBEC) H1J 1J9 TÉL. (514) 351-6010

CHARGÉE DE PROJET ET RÉVISEURE LINGUISTIQUE
Nicole Beaugrand Champagne Fuyet

CONCEPTION GRAPHIQUE
Robert Doutre pour Graphus

RÉALISATION TECHNIQUE
Studio Artifisme

CARTES
Geneviève Robichaud
Luc Gauvin

Nous tenons à remercier les personnes et les organismes qui
ont gracieusement fourni certains des documents photogra-
phiques de cet ouvrage. Nous remercions aussi ceux et celles
qui, grâce à leur collaboration, ont contribué à sa réalisation, dont Sylvie Côté et Jean-Louis Blanchette pour recherche d'informations en histoire et géographie.

L'approbation de cet ouvrage par le ministère de l'Éducation du Québec
n'implique aucune reconnaissance quant à la délimitation des frontières
du Québec.

Dépôt légal: 1 trimestre 1992
Bibliothèque nationale du Québec

ISBN 2-7617-0396-0
Imprimé au Canada

102 012 21
(9-87, 7-88, 11-88, 12-89, 11-90, 5-91, 5-92, 7-93)

MESSAGE DE L'AUTEUR

Bonjour!

Tu as le goût de l'aventure? Eh bien, cette année, je te propose de voyager dans le temps et dans l'espace à travers le Canada. Grâce à cette exploration, tu pourras faire plein de découvertes sur les personnages, le passé et les gens de cet immense pays. Des comparaisons avec des paysages et des modes de vie d'ailleurs te permettront aussi de mieux comprendre ce qui caractérise le Canada et le mode de vie des Canadiens et des Canadiennes.

J'ai préparé ton livre «Images du Canada» pour faciliter ton exploration. Il contient de nombreuses illustrations (cartes, photos, graphiques, dessins, etc.) qui te permettent d'observer par toi-même les réalités du Canada d'hier et d'aujourd'hui. Les informations fournies pour ces illustrations sont complétées par de courts textes.

Tout ce matériel d'exploration est réparti en 32 dossiers. Chaque dossier porte un titre et un sous-titre qui se présente sous la forme d'une question. Tu n'as pas à formuler de réponse précise à cette question. Elle est là pour te renseigner sur ce que la série d'activités proposées t'amènera à découvrir ou à mieux comprendre. Toutefois, à la fin de ton exploration, tu devrais pouvoir apporter une réponse personnelle à la question qui oriente les activités du dossier.

Le plus souvent, c'est ton enseignant ou ton enseignante qui te propose d'explorer une question à partir d'une séquence d'activités. Ces activités sont divisées en trois groupes:

Je réfléchis...

Ces activités t'invitent à te poser des questions comme: Le Canada est-il un grand pays? Depuis quand le Canada existe-t-il? Comment se passait la vie à la ville et à la campagne il y a cent ans? En faisant appel à ton vécu et à ton expérience, elles t'amènent aussi à formuler des hypothèses et à exprimer tes premières impressions concernant ces questions.

Je vérifie mes impressions...

Ces activités te permettent de recueillir des informations et de les organiser de façon à vérifier ton hypothèse de départ et tes impressions premières. Pour effectuer ta cueillette d'informations, je te suggère d'abord d'observer attentivement les cartes, les photos et les autres illustrations de ton livre. S'il te manque des renseignements ou si tu veux en savoir plus sur le sujet, tu peux ensuite lire le texte qui accompagne les illustrations du même dossier.

J'utilise mes découvertes...

Ces activités t'amènent à faire la synthèse de tes découvertes et à dégager une conclusion personnelle concernant ta question ou ton hypothèse de départ. Elles te proposent aussi de communiquer les résultats de cette démarche à l'aide de moyens variés.

En terminant, je t'invite à m'écrire pour me faire connaître tes impressions sur ton nouveau livre de sciences humaines.

Un ami,
Jean-Luc
Centre Éducatif et Culturel inc.
8101, boul. Métropolitain
Montréal (Québec)
H1J 1J9

TABLE DES MATIÈRES

VOYAGES À TRAVERS LE CANADA

THÈME C

VIVRE EN DÉMOCRATIE

THÈME D

LA VIE AU QUÉBEC IL Y A 100 ANS

THÈME E

ICI ET AILLEURS

THÈME F

SOURCE DES PHOTOS

p. 8   T. Frank — Sygma/Publiphoto
p. 39   Publiphoto
p. 68   Bibliothèque municipale de Montréal, Archives publiques du Canada, Publiphoto, Parcs-Canada
p. 87   Archives publiques du Canada
p. 102   Publiphoto
p. 144   Canapress
p. 160   Archives publiques du Canada, Société historique des Cantons-de-l'Est
p. 180   M. Faugère/Publiphoto, S. Clément/Publiphoto, D. Vainola/CRDI, N. McKee/CRDI
p. 200   M. Delage, S. Froment, CRDI, M. Rowe, Sygma/Publiphoto

1   M. Faugère/Publiphoto
2   Jean-François Sauvageau
7a   Lacroix/Publiphoto
13   J. E. Schurr — Rush/Publiphoto
14, 19   Serge Froment
22   J. M. Petit/Publiphoto
25   J. P. Laffont — Sygma/Publiphoto
26   D. Vayer/Publiphoto
27   Yves Beaulieu/Publiphoto
28   Marc Delage
29   P. Groulx/Publiphoto
30   Rolland Renaud
31   Jean Lauzon/Publiphoto
32   Publiphoto
33   Jean-François Sauvageau
34   Hattenberger/Publiphoto
35   Jean-François Sauvageau
37   Faugère/Publiphoto
38   A. Keler — Sygma/Publiphoto
40   Denis Alix/Publiphoto
43   M. Faugère/Publiphoto
44   Hattenberger/Publiphoto
46   Jean-François Sauvageau
47   Michel Rousseau/Publiphoto
48   Matti Seppala
49   Hattenberger/Publiphoto
50   Michel Rousseau/Publiphoto
52   Pierre Groulx/Publiphoto
54   Sygma/Publiphoto
55   A. Guillon/Publiphoto
57   M. Faugère/Publiphoto
58   Yves Beaulieu/Publiphoto
59   G. Zimbel/Publiphoto
60, 61   Publiphoto
62   W. McElligot/Fédération de voile du Québec
63   Serge Clément/Publiphoto
64, 66   Yves Beaulieu/Publiphoto
67   Serge Clément/Publiphoto
68   P. Vauthey — Sygma/Publiphoto
69   Denis Alix/Publiphoto
70   Serge Clément/Publiphoto
71   Courey — Explorer/Publiphoto
72   B. Carrière/Publiphoto
73   P. Vauthey — Sygma/Publiphoto
74   Archives publiques du Canada — C68719
76   M. Faugère/Publiphoto
79   Serge Clément/Publiphoto
80   Yves Beaulieu/Publiphoto
81   Pierre Roussel/Publiphoto
83   Sygma/Publiphoto
84   Serge Clément/Publiphoto
85   Pierre Roussel/Publiphoto
86, 87   J. P. Laffont — Sygma/Publiphoto
88   M. Faugère/Publiphoto
89, 90   G. Zimbel/Publiphoto
91   Serge Clément/Publiphoto
92   Pierre Roussel/Publiphoto
93   Publiphoto
96   U. Gosset — Sygma/Publiphoto
103   Archives publiques du Canada — C1078
105   — C788
106   — C5561
107   — C14342
108   — C357

109   Musées nationaux — S82-83
110   Archives publiques du Canada — C11043
111   A. de Moltzheim
112   Parcs-Canada
114   Archives publiques du Canada — C2001
116   — C361
118   — C20587
119   — C44633
120   — C44625
123   Huguette Marquis
124   Archives publiques du Canada — 40260
125   — C27638
127   — C733
128   — C37874
130   — PA66576
133   — C29482
134   — C3904
137, 138   — C6556
142   — C61471
142, 144   Rolland Renaud
145   J. Pavlovsky — Sygma/Publiphoto
148   Alain Dejean — Sygma/Publiphoto
149   T. Schmitt — Sygma/Publiphoto
150 à 154   Rolland Renaud
155   M. Faugère/Publiphoto
156   P. Maillard
157   Publiphoto
158   Rolland Renaud
159   M. Faugère/Publiphoto
160   Hattenberger/Publiphoto
161   Publiphoto
167   Archives publiques du Canada — C70648
168   Bureau du tourisme du Nouveau-Brunswick
169   Rolland Renaud
170   Michel Rousseau/Publiphoto
171, 172   M. Faugère/Publiphoto
173   G. Depairon/Publiphoto
174   Yves Beaulieu/Publiphoto
175, 176   G. Zimbel/Publiphoto
177   D. Weiner/Publiphoto
178   Michel Rousseau/Publiphoto
180   Reproduction autorisée par la Société canadienne des Postes
183   Musées nationaux — 76024
184   Archives publiques du Canada — C9351
185   Rolland Renaud
186   Marc Delage
187   J. P. Laffont — Sygma/Publiphoto
188   Publiphoto
189   Serge Clément/Publiphoto
190   J. P. Laffont — Sygma/Publiphoto
191   Publiphoto
192   Denis Alix/Publiphoto
193   D. Vayer/Publiphoto
194   Yves Beaulieu/Publiphoto
195   G. Zimble/Publiphoto
198   Archives publiques du Canada — 119982
199   — PA18755
200   — C47042
201   — C29090
202, 203   Pierre Groulx/Publiphoto
204   Sygma/Publiphoto
205, 206   Pierre Groulx/Publiphoto
207   Archives publiques du Canada — PA31489
209   J. P. Laffont — Sygma/Publiphoto
210   Jean-François Sauvageau
211   M. Faugère/Publiphoto
212   Rémi Laine — Sygma/Publiphoto
214   Reproduction autorisée par la Société canadienne des Postes
215   Archives publiques du Canada — C1291
217   — C1609
218   Jean-François Sauvageau
219   Archives publiques du Canada — PA11041
220   Publiphoto
221   P. Maillard

222   Jean-François Sauvageau
223   M. Faugère/Publiphoto
224   P. Maillard
225   M. Faugère/Publiphoto
226   Jean-François Sauvageau
227   Sygma/Publiphoto
228   P. Maillard
229   M. Faugère/Publiphoto
232   Archives publiques du Canada — C1912
233   — C15328
234   Publiphoto
235   J. F. Bergeron
236, 237   Publiphoto
238   P. Baeza/Publiphoto
239   Matti Seppala
240   Publiphoto
241   Rolland Renaud
242   Publiphoto
243   André Fournier
244, 245   Hubert Lauzon
246   Peter Foggen
247, 248   Publiphoto
249   J. F. Bergeron
250   Canapress
251   Jean Lauzon/Publiphoto
252   J.F. Bergeron
253   Rolland Renaud
254   Publiphoto
255   Rolland Renaud
256   Jean-François Sauvageau
259   Yves Beaulieu/Publiphoto
260   C. Bonazza/Publiphoto
261   M. Rousseau/Publiphoto
262   Jean Lauzon/Publiphoto
263   M. Rousseau/Publiphoto
264   Pierre Roussel/Publiphoto
266   Rolland Renaud
267 à 270   Sygma/Publiphoto
271   W. Campbell — Sygma/Publiphoto
272   D. Goldberg — Sygma/Publiphoto
273   Bernard Martin/Publiphoto
274   De Wildenberg — Sygma/Publiphoto
275   Pierre Roussel/Publiphoto
276   Archives publiques du Canada — PA9736
277   — PA42416
278   Archives de la ville de Montréal
279   Archives publiques du Canada — PA134211
280   — PA16124
281   Village québécois d'Antan
282   Archives publiques du Canada — PA16124
283   Bibliothèque municipale de Montréal, photo: Rolland Renaud
284   Canadian Illustrated News, 1877
285   Archives publiques du Canada — PA43644
286   Archives publiques du Canada
287   — C1126
288   — C98966
289   Johanne Blanchet
290   Archives publiques du Canada — C10192
291   Centre d'initiation au Patrimoine
292   Village québécois d'Antan
293   Musée McCord, archives Notman
294   Archives publiques du Canada — PA28192
295   — C25616
296   — PA8376
297   — PA22185
298   — PA71000
299   Société historique des Cantons-de-l'Est
300   Archives publiques du Canada — PA51745
301   Archives publiques du Canada — PA32543
302   — C59556
303   — PA43088
304   — PA42359
305   Musée McCord, coll. Walker

306   Archives publiques du Canada — C61106
307   — PA48807
308   — PA9809
312   — C57210
313   — C50362
315   — PA10505
316   Archives nationales du Québec
317   Archives publiques du Canada — William Notman
318   Rolland Renaud
323   CRDI
324   G. Lambert
325   Serge Froment
326   Claude Dupuis/CRDI
327   Neil McKee/CRDI
328   R. Charbonneau/CRDI
329   Rolland Renaud
330   Claude Dupuis/CRDI
331   Serge Froment
332   Gosset/Publiphoto
334   Publiphoto
335   Gleizes — Explorer/Publiphoto
336   Rolland Renaud
337   Ch. Errath — Explorer/Publiphoto
338   Fiore/Publiphoto
339   Agence Tass
340   Sygma/Publiphoto
341   Fiore/Publiphoto
342, 343   Rolland Renaud
344   Michel Baret/Publiphoto
345, 347   Serge Froment
348   Jean-Marc Fleury/CRDI
349   W. Campbell — Sygma/Publiphoto
350   A. Bourbonnais/Publiphoto
351   M. Faugère/Publiphoto
352   R. Charbonneau/CRDI
353   Serge Froment
354   Alpha Diffusion
355   B. Stanley/CRDI
356   Serge froment
357   M. Faugère/Publiphoto
358   S. Frankling — Sygma/Publiphoto
360, 361   André Delage
362   G. Gros — Explorer/Publiphoto
363   Marcel Delage
364   Marc Delage
365   André Delage
366   Sygma/Publiphoto
367   Marc Delage
369   Serge Froment
370   Suzanne Laberge
371 à 373   Serge Froment
374   J. L. Gaubert — Explorer/Publiphoto
375, 376   Serge Froment
377, 378   Suzanne Laberge
380   Serge Froment
381 à 388   M. Faugère/Publiphoto
389   Jacques Dupont/CRDI
391, 392   Neil McKee/CRDI
393   J. Rojas/CRDI
394 à 397   Neil McKee/CRDI
398   Ron Poling/CRDI
399   M. Faugère/Publiphoto
401   Michel Rowe
402   J. Valentin — Explorer/Publiphoto
403   Michel Rowe
404   Peter Foggen
405   P. Maillard
406   Sygma/Publiphoto
407   Rick Smolan — Sygma/Publiphoto
408, 409   P. Maillard
410 à 416   Sygma/Publiphoto

Les photos portant le sigle CRDI ont été fournies par le Centre de recherches pour le développement international, une société d'État créée par le Parlement du Canada afin d'appuyer des recherches en agriculture, santé, sciences sociales, sciences de l'information et sciences de la terre réalisées dans les pays en développement.

NOTE AUX PARENTS

À titre de parents, il est naturel que vous vous posiez des questions sur la formation reçue par votre enfant à l'école. En ce qui concerne les sciences humaines, nous voulons répondre à trois questions qui nous sont souvent posées:

- Qu'est-ce que les sciences humaines?
- Pourquoi faire des sciences humaines à l'école?
- Comment puis-je aider mon enfant à apprendre?

Qu'est-ce que les sciences humaines?

Les sciences humaines au primaire, c'est surtout de la géographie, de l'histoire, de l'économie et de la sociologie. Il se fait donc encore de l'histoire et de la géographie dans les écoles primaires, mais de manière différente d'autrefois. Aujourd'hui, le programme de sciences humaines invite l'enfant à observer et à comprendre les liens qui unissent l'être humain aux réalités de son milieu. Ainsi, par exemple, le Canada est une réalité qui comporte plusieurs aspects dont l'étude fait appel à la géographie (les paysages), à l'histoire (la Confédération), à l'économie (le commerce extérieur) et à la sociologie (les modes de vie). Pour mieux comprendre les divers aspects d'une même réalité, l'enfant doit nécessairement se poser des questions sur les liens qui existent entre eux. Il pourra ainsi découvrir que la beauté des paysages des Rocheuses attire des milliers de touristes; que les moyens de transport jouent un rôle économique essentiel dans un pays immense comme le Canada; que la présence de divers groupes ethniques au sein de la population canadienne s'explique par l'arrivée d'immigrants; etc.

Pourquoi faire des sciences humaines à l'école?

Grâce aux sciences humaines, l'enfant apprend à mieux se situer dans le temps et dans l'espace. Cette habileté est tout aussi importante que celles qui consistent à lire, à écrire ou à solutionner des problèmes mathématiques car l'enfant s'en servira toute sa vie, dans nombre de situations.

L'étude des sciences humaines permet aussi à l'enfant de connaître son milieu et de comprendre la société dans laquelle il vit. En plus d'en retirer des connaissances et des habiletés qui lui sont immédiatement utiles, l'enfant s'initie au rôle de citoyen responsable, capable de faire des choix éclairés.

Enfin, les sciences humaines fournissent à l'enfant les outils de base qui lui permettent de mieux s'intégrer à son milieu de vie et de s'y épanouir avec aisance. À l'âge adulte, ces mêmes acquisitions continueront sans doute de lui être profitables.

Comment puis-je aider mon enfant à apprendre?

Plus que tout autre, le programme de sciences humaines offre aux parents et à l'école l'occasion de collaborer. Cette collaboration peut revêtir plusieurs formes, et les parents peuvent notamment:

- accompagner un groupe d'enfants lors d'une sortie éducative;
- prêter, au besoin, certains objets ou photographies;
- répondre aux questions de leur enfant, à l'occasion d'une enquête;
- accepter de se rendre en classe pour parler de leur métier, raconter leurs souvenirs ou s'entretenir avec les enfants de divers sujets reliés aux sciences humaines.
- mettre à la disposition de leur enfant journaux, revues et volumes traitant des réalités de divers milieux.

Il faut se rappeler aussi que les enfants peuvent faire des sciences humaines ailleurs qu'en classe. À la maison, en promenade, en vacances, les parents peuvent poursuivre le travail de l'école, en étant à l'écoute de leur enfant et en l'incitant à s'interroger sur les réalités physiques et humaines qui l'entourent.

VUE D'ENSEMBLE DU CANADA

*L*E MILIEU DE VIE

Une nouvelle exploration!

Ce que j'en sais...
Ce que j'en pense...

À partir des discussions, des livres, des émissions de télévision, des voyages ou des autres moyens qui t'ont permis de te renseigner sur le Canada, quelle image te fais-tu de ce pays? Écris tes impressions d'ensemble sur une feuille de papier et ensuite, communique-les à tes camarades de classe.

Conserve cette feuille dans un endroit sûr car à la fin du dossier 5, tu auras à faire le même travail et tu devras le comparer avec celui-ci.

Ce que je veux explorer...

Quelles informations aimerais-tu vérifier ou découvrir sur le Canada afin d'en avoir une meilleure vue d'ensemble? Quels moyens prévois-tu prendre pour trouver des réponses à tes questions?

1 LE CANADA, PAYS DU NORD

Où est le Canada?

A C T I V I T É S

JE RÉFLÉCHIS...

1. À l'aide d'un puissant radio-émetteur, tu lances un message aux habitants d'une planète éloignée pour les inviter à se rendre dans ta localité. Selon toi, quels espaces géographiques (planète, continent, pays, province, région, localité) devront traverser ces extra-terrestres pour parvenir à destination? Que peux-tu leur suggérer pour les aider à se retrouver sur notre planète?
2. Observe la forme du Canada sur la carte 4. À quelle autre forme te fait-elle penser?

JE VÉRIFIE MES IMPRESSIONS...

3. Recherche les frontières du Canada sur la carte 4 et décris leur position en utilisant les points cardinaux et intermédiaires.
4. À l'aide d'un globe terrestre ou de la carte 6, trouve sur quel continent et dans quel hémisphère est situé le Canada.
5. Observe les cartes 6 et 7. En utilisant les points cardinaux et intermédiaires, décris où se trouve le Canada:
   - par rapport à l'Asie; à l'Europe; à l'Amérique du Sud;
   - dans l'Amérique du Nord.

J'UTILISE MES DÉCOUVERTES...

6. Situe le Canada sur la carte muette:
   - de l'Amérique du Nord **A-1***; du monde **A-2**.
7. Identifie les frontières du Canada sur la carte muette **A-3** et indique leur position en utilisant les points cardinaux et intermédiaires.
8. Transcris ce message dans ton cahier et complète-le pour que tes invités de l'espace suivent la bonne route jusque chez toi.

   En entrant dans le système solaire, survolez la troisième planète la plus rapprochée du Soleil, c'est la planète _____. Sur la surface de cette planète, vous allez apercevoir une masse de terre qui ressemble à deux grands triangles, c'est un continent nommé _____. Mon pays, le _____, est situé au _____ du plus grand de ces triangles, l'Amérique du _____. À partir du centre de ce pays, dirigez-vous vers l'_____, c'est dans cette direction que vous trouverez la province de _____ où j'habite. Informez-vous ensuite où se trouve la région _____ et la localité de _____. Il y aura sûrement quelqu'un pour vous aider car les gens d'ici sont très accueillants pour les touristes. À bientôt.

   _____

* **A-1:** *Carnet de l'explorateur,* carte muette n° 1 du thème A.

onjour! Je m'appelle Véronique! J'habite la ville de Montréal. Montréal est située dans la province de Québec.
Le Québec fait partie d'un pays qui porte le nom de Canada.
Et toi, où habites-tu? Dans quelle province? Dans quel pays?

1

LES LIMITES DU CANADA

Le Canada, c'est le pays où vivent 25 millions de Canadiens et de Canadiennes. Ce vaste territoire est entouré de trois océans: l'Atlantique, le Pacifique et l'Arctique. Le Canada a aussi comme voisins immédiats les États-Unis au sud, l'Alaska au nord-ouest et le Groenland au nord-est. L'Alaska fait partie du territoire des États-Unis tandis que le Groenland appartient au Danemark.

2

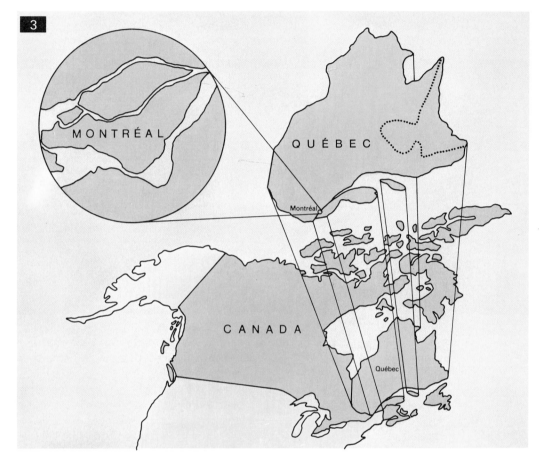

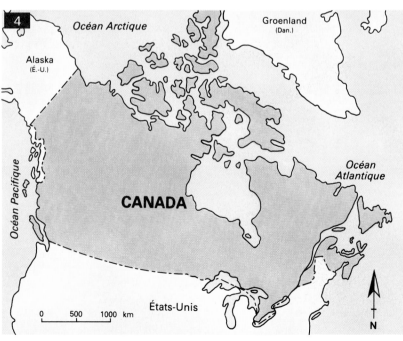

1 Véronique.

2 Centre-ville de Montréal.

3 Montréal est une partie du Québec et du Canada.

4 Les limites du Canada.

5 Le Canada dans l'Amérique du Nord.

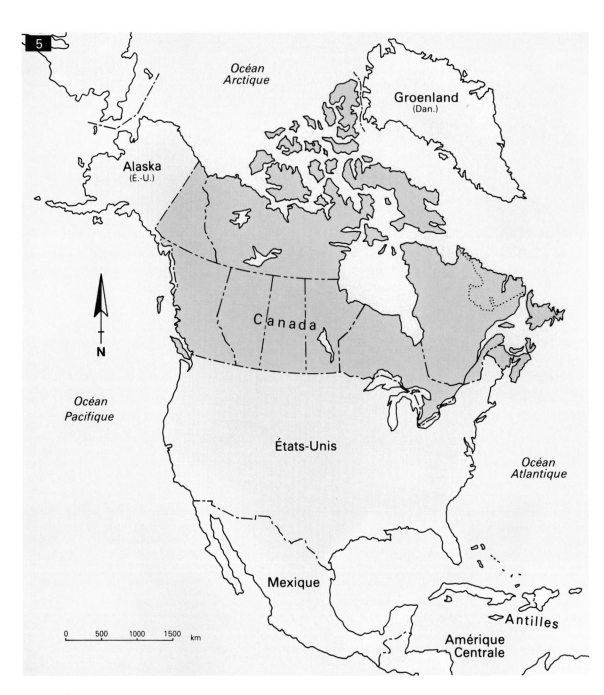

Le Canada dans l'Amérique du Nord

Le Canada est un grand pays constitué de villages, de villes, de régions et de provinces. Mais le Canada n'est lui-même qu'une partie d'un ensemble encore beaucoup plus vaste: l'Amérique. Notre pays occupe à lui seul près du quart de la superficie totale de cet immense continent qui s'étire de l'océan Arctique à l'Antarctique. Avec les États-Unis, le Mexique et les sept petits pays de l'Amérique Centrale, le Canada est situé dans la partie **septentrionale** du continent, c'est-à-dire en Amérique du Nord.

Septentrionale: *nordique.*

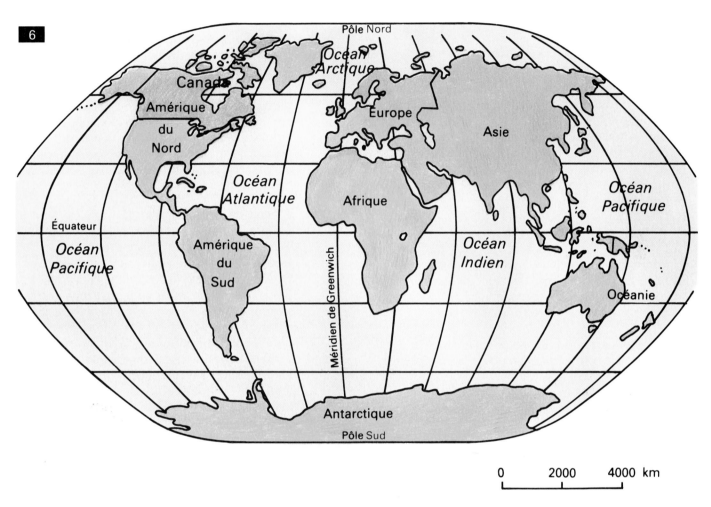

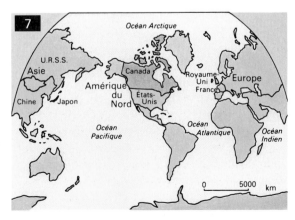

LE CANADA DANS LE MONDE

Sur un globe terrestre ou un planisphère, il est facile de voir que l'Amérique du Nord est située dans la partie comprise entre l'équateur et le pôle Nord: l'hémisphère Nord. Le Canada est le plus septentrional des pays du continent américain. Son point le plus nordique, le cap Columbia sur l'île d'Ellesmere, n'est qu'à 750 kilomètres environ du pôle Nord.

La côte est du Canada fait face à l'Europe tandis que la côte ouest est tournée vers l'Asie. La situation géographique du Canada est importante car la plupart des routes aériennes et maritimes qui relient les États-Unis à l'Europe traversent notre pays. Le Canada occupe aussi une position stratégique au point de vue militaire car il est situé entre deux super-puissances: les États-Unis au sud et l'URSS. En effet, si tu examines la région du pôle Nord sur un globe terrestre, tu verras que le Canada et l'URSS sont voisins.

6 Le Canada dans le monde.

7 Le Canada fait face à l'Europe et à l'Asie.

2 LES PROVINCES ET LES TERRITOIRES

Comment est divisé le Canada?

A C T I V I T É S

JE RÉFLÉCHIS...

1. As-tu de la parenté au Canada ailleurs qu'au Québec? Dans quelles provinces ou dans quels territoires vivent ces personnes?

   Connais-tu d'autres provinces ou territoires du Canada pour les avoir visités ou en avoir entendu parler? Lesquels?

   D'après toi, les provinces et les territoires du Canada que tu connais sont-ils plus grands que le Québec? Sont-ils plus peuplés?

JE VÉRIFIE MES IMPRESSIONS...

2. À l'aide de la carte 8, identifie les provinces et les territoires qui forment le Canada. À l'aide des points cardinaux et intermédiaires, indique aussi la position de quelques provinces ou territoires par rapport à l'ensemble du Canada et par rapport à d'autres provinces ou territoires.

3. À l'aide du cartogramme 9 et du tableau 11, classe les provinces du Canada de la plus grande à la plus petite.

4. À l'aide du cartogramme 10 et du tableau 11, classe les provinces du Canada de la plus peuplée à la moins peuplée.

J'UTILISE MES DÉCOUVERTES...

5. Identifie les provinces et les territoires du Canada sur la carte muette A-4. Situe-les en utilisant les points cardinaux et intermédiaires.

6. À l'aide du cartogramme 9 et du tableau 11:
   a) établis une proportion entre la superficie du Québec et celle du Canada;
   b) indique quel rang occupe le Québec du point de vue de la superficie par rapport aux autres provinces.

7. À l'aide du cartogramme 10 et du tableau 11:
   a) établis une proportion entre la population du Québec et celle du Canada;
   b) indique quel rang occupe le Québec du point de vue de la population par rapport aux autres provinces.

8. Selon toi, le Québec occupe-t-il une place importante parmi les provinces du Canada? Justifie ta réponse à l'aide de faits précis.

 e Canada d'aujourd'hui est composé de dix provinces et de deux territoires. Cela n'a pas toujours été ainsi. Par exemple, lors de sa formation en 1867, la Confédération canadienne regroupait seulement quatre provinces: le Québec, l'Ontario, la Nouvelle-Écosse et le Nouveau-Brunswick. En consultant le dossier 12, tu en découvriras beaucoup plus sur la façon dont le Canada actuel s'est formé.

L'ORGANISATION POLITIQUE

Les provinces du Canada sont d'est en ouest: Terre-Neuve, l'Île-du-Prince-Édouard, la Nouvelle-Écosse, le Nouveau-Brunswick, le Québec, l'Ontario, le Manitoba, la Saskatchewan, l'Alberta et la Colombie-Britannique. Chaque province possède un Parlement qui a le pouvoir de faire des lois pour assurer la bonne administration de son territoire. Dans certains domaines tels que l'agriculture et l'immigration, les provinces doivent partager leur pouvoir avec le Parlement fédéral qui administre l'ensemble du Canada. L'endroit où siège chaque Parlement porte le nom de capitale. Ainsi, Ottawa est la capitale du Canada car le Parlement fédéral se trouve dans cette ville.

Les deux territoires du Canada, le Yukon et les Territoires du Nord-Ouest, possèdent aussi chacun un gouvernement. Toutefois, ces gouvernements ont moins de pouvoir que ceux des provinces. Le gouvernement fédéral assure lui-même une partie de l'administration de ces territoires.

7a

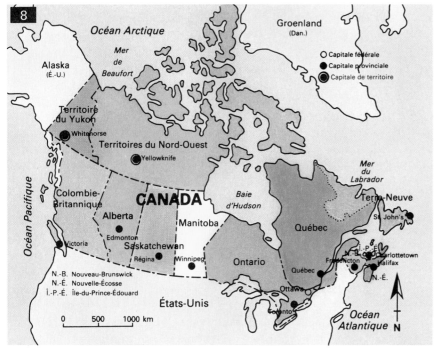

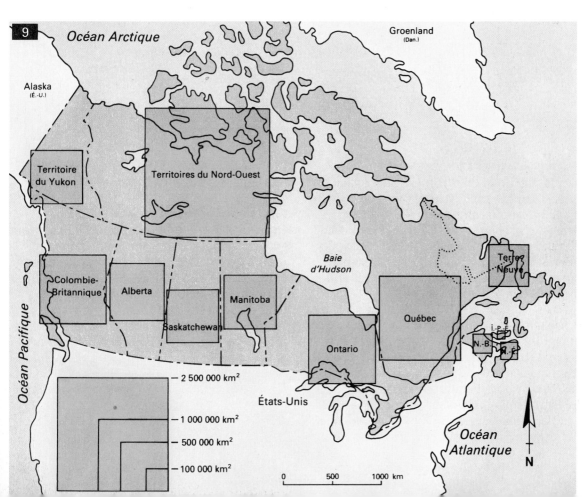

7a Le Parlement du Canada à Ottawa.

8 Les divisions politiques du Canada.

9 Cartogramme de la superficie des provinces et des territoires du Canada.

10 Cartogramme de la population du Canada.

11 Superficie et population du Canada.

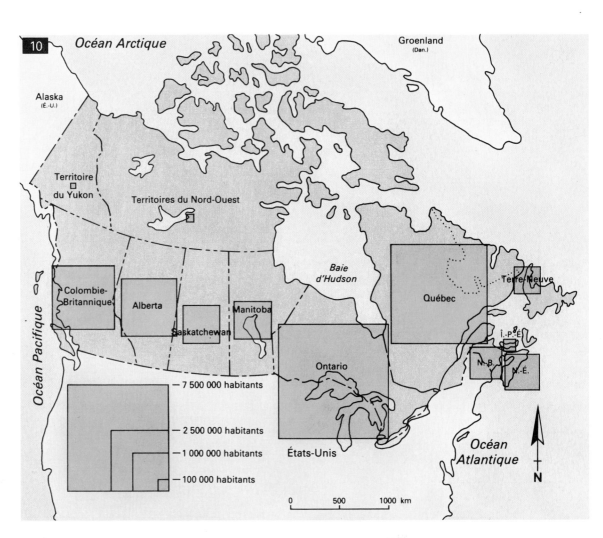

LA SUPERFICIE ET LA POPULATION

Les provinces et les territoires du Canada ont des superficies très variées. Par exemple, le Québec est plus grand que le Nouveau-Brunswick, la Nouvelle-Écosse, l'Île-du-Prince-Édouard, l'île de Terre-Neuve et le Labrador réunis. Les Territoires du Nord-Ouest et le Yukon couvrent à eux seuls 39% de la superficie totale du Canada.

Par contre, la population des provinces et des territoires du Canada ne correspond pas toujours à leur superficie. Ainsi, la population de la plus petite des provinces, l'Île-du-Prince-Édouard, quoique modeste en nombre, est presque trois fois supérieure à celle des vastes Territoires du Nord-Ouest. Cependant, il est exact d'affirmer que les deux plus grandes provinces, le Québec et l'Ontario, sont aussi les deux provinces les plus populeuses.

LES REGROUPEMENTS RÉGIONAUX

Les provinces et les territoires du Canada sont souvent regroupés en cinq grandes régions: la région de l'Atlantique (Terre-Neuve, Nouveau-Brunswick, Nouvelle-Écosse, Île-du-Prince-Édouard), la région du Saint-Laurent et des Grands Lacs (Québec, Ontario), la région des Prairies (Manitoba, Saskatchewan, Alberta), la région du Pacifique (Colombie-Britannique) et la région du Nord (Yukon, Territoires du Nord-Ouest). Ce regroupement est basé sur la localisation mais aussi sur certaines ressemblances telles que les traits physiques, les ressources économiques et les modes de vie.

11   SUPERFICIE ET POPULATION DES PROVINCES ET TERRITOIRES DU CANADA

Provinces et territoires	km²	Population*
Terre-Neuve	405 720	580 800
Nouvelle-Écosse	55 490	881 300
Nouveau-Brunswick	73 440	719 400
Île-du-Prince-Édouard	5 660	127 300
Québec	1 540 680	6 584 200
Ontario	1 068 580	9 077 100
Manitoba	649 950	1 070 300
Saskatchewan	652 330	1 020 000
Alberta	661 190	2 350 400
Colombie-Britannique	947 800	2 894 200
Territoires du Nord-Ouest	3 426 320	51 000
Yukon	483 450	22 900
Canada	9 970 610	25 378 900

Source: *Annuaire du Canada, 1985*
   *Statistique Canada 1985 (population estimée)

3 «D'UN OCÉAN À L'AUTRE»

Le Canada est-il un grand pays?

A C T I V I T É S

JE RÉFLÉCHIS...

1. Observe le Canada sur un globe terrestre ou un planisphère mural. À première vue, comment t'apparaît la superficie du Canada par rapport à celle des autres pays du monde?

2. Selon toi, est-il vrai que les pays les plus grands en superficie sont les plus peuplés?

JE VÉRIFIE MES IMPRESSIONS...

3. Trouve la longueur du Canada sur la carte 12. En parcourant la même distance, sur quels continents pourrais-tu te rendre en partant de Paris?

4. À l'aide du cartogramme 15, trouve:
   a) un pays qui a une superficie plus grande que celle du Canada;
   b) trois pays qui ont une superficie semblable à celle du Canada;
   c) trois pays qui ont une superficie plus petite que celle du Canada.

5. À l'aide du cartogramme 15 et du tableau 17, trouve le rang que le Canada occupe dans le monde quant à sa superficie.

6. À l'aide du cartogramme 16, trouve:
   a) trois pays qui ont une population plus grande que celle du Canada;
   b) un pays qui a une population semblable à celle du Canada;
   c) trois pays qui ont une population plus petite que celle du Canada.

7. À l'aide du tableau 18, trouve le rang que le Canada occupe dans le monde quant à sa population.

J'UTILISE MES DÉCOUVERTES...

8. Sur les cartogrammes muets A-5, compare la superficie et la population au Canada à celles de certains pays.

9. En te basant sur les activités précédentes, peux-tu maintenant affirmer ou non que les pays les plus grands en superficie sont les plus peuplés? Prouve ta réponse en prenant le Canada et un autre pays comme exemple.

e voyageur qui désire se rendre de St. John's (Terre-Neuve) à Vancouver doit d'abord prendre le traversier entre l'île de Terre-Neuve et le continent. Il devra ensuite parcourir environ 6200 kilomètres de route. En roulant douze heures par jour à une vitesse moyenne de 90 km/h, il lui faut donc à peu près six jours pour traverser le Canada d'est en ouest. Si cette même personne décide plutôt de prendre l'avion, c'est environ huit heures qu'elle devra prévoir pour effectuer le même trajet. Par comparaison, il faut moins de six heures pour se rendre de Montréal à Paris en traversant l'océan Atlantique.

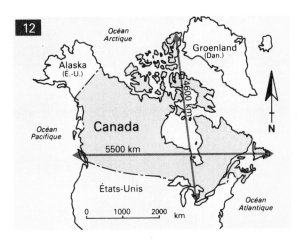

LES DISTANCES

À vol d'oiseau, comme le démontre la carte 12, les points les plus éloignés du Canada d'est en ouest sont distants d'environ 5500 kilomètres. Du nord au sud, cette distance est d'un peu plus de 4600 kilomètres. Ces données nous permettent de nous rendre compte que le territoire du Canada est presque aussi long que large. C'est donc dire qu'il faudrait y mettre autant de temps pour le traverser du sud au nord que d'est en ouest, si bien sûr les voies de communications y étaient aussi développées qu'elles le sont de l'Atlantique au Pacifique.

LA SUPERFICIE

Un bon moyen d'évaluer la grandeur du Canada consiste à comparer sa superficie à celle d'autres pays. On découvre ainsi que le Canada est le deuxième plus grand pays du monde. Il n'est dépassé que par l'URSS dont l'étendue du territoire est plus du double de celle de notre pays. En plus de l'URSS, quatre autres pays seulement ont des territoires dont la superficie est comparable à celle du Canada. Ces pays sont, en commençant par le plus grand, la Chine, les États-Unis, le Brésil et l'Australie.

À cause de la vaste étendue de son territoire, le Canada possède une grande variété de paysages et de ressources naturelles. Toutefois, l'immensité du pays pose certains problèmes. Par exemple, il est difficile et coûteux de maintenir et de développer des voies de communication entre les différentes parties du territoire canadien. Les distances énormes à parcourir augmentent aussi considérablement le coût des produits qui sont fabriqués à une extrémité du Canada et vendus à l'autre extrémité. Finalement, à cause de la grande superficie de leur pays, les Canadiens de plusieurs provinces éloignées les unes des autres ont peu de contacts directs entre eux. Cette situation crée parfois certaines incompréhensions.

12 La longueur et la largeur du Canada.

13 La Place Rouge de Moscou, URSS.

14 La Chine est 40 fois plus peuplée que le Canada.

15 Cartogramme de la superficie de quelques pays du monde.

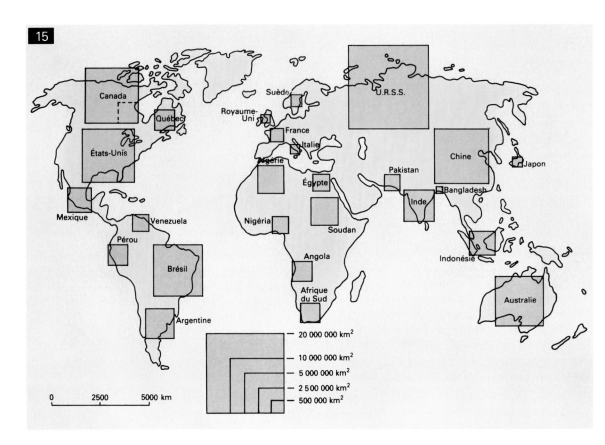

LA POPULATION

La grandeur du Canada s'évalue de différentes façons. Jusqu'ici, nous avons tenu compte de la superficie. Mais comment le Canada se compare-t-il aux autres pays si l'on considère la population? Le cartogramme 16 montre que plusieurs pays ont une population supérieure à celle de notre pays. Même si son territoire est immense, le Canada ne compte que 25,5 millions d'habitants ce qui donne une **densité** d'environ 2,6 habitants au kilomètre carré. La densité de la population canadienne est donc très faible, par rapport à celle d'autres pays. Le Japon et la France, qui ont tous deux un territoire beaucoup plus petit, ont respectivement une population de 119 millions et de 54 millions d'habitants. Les États-Unis, avec une superficie semblable à celle du Canada, ont une population dix fois plus nombreuse que la nôtre. Plus d'un milliard de personnes vivent en Chine où pourtant la superficie du pays est inférieure à celle du Canada.

Densité: *pour obtenir la densité de population d'un pays, on divise le nombre de ses habitants par la superficie de son territoire.*

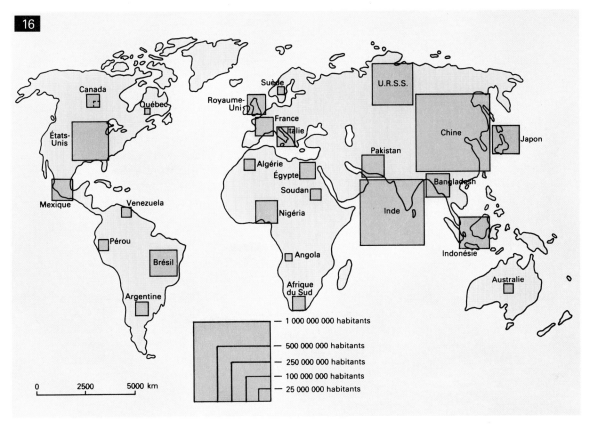

16 Cartogramme de la population de quelques pays du monde.

17 Superficie des dix plus grands pays du monde.

18 Population du Canada et des dix pays les plus peuplés du monde.

16

Légende
— 1 000 000 000 habitants
— 500 000 000 habitants
— 250 000 000 habitants
— 100 000 000 habitants
— 25 000 000 habitants

0   2500   5000 km

17 SUPERFICIE DES 10 PLUS GRANDS PAYS DU MONDE

Pays	km²	Rang mondial
URSS	22 259 800	1
Canada	9 970 610	2
Chine	9 600 000	3
États-Unis	9 363 400	4
Brésil	8 521 100	5
Australie	7 692 300	6
Inde	3 136 500	7
Argentine	2 771 300	8
Soudan	2 504 500	9
Algérie	2 460 400	10

Source: National Geographic Society
Annuaire du Canada, 1985

18 POPULATION DES 10 PAYS LES PLUS PEUPLÉS AU MONDE

Pays	Population	Rang mondial
Chine	995 000 000	1
Inde	695 230 000	2
URSS	268 740 000	3
États-Unis	231 160 000	4
Indonésie	151 500 000	5
Brésil	124 760 000	6
Japon	118 650 000	7
Pakistan	92 070 000	8
Bangladesh	91 860 000	9
Nigéria	80 765 000	10
Canada	25 378 900	31

Source: *L'interAtlas*, CEC

4 LE VISAGE PHYSIQUE

À quoi ressemble le Canada?

A C T I V I T É S

JE RÉFLÉCHIS...

1. D'après toi, l'aviateur qui survole le Canada voit-il partout les mêmes paysages? En te basant sur les grands ensembles représentés sur la carte 20, essaie d'imaginer le relief, le climat, la végétation et les étendues d'eau de chacune de ces divisions naturelles.

JE VÉRIFIE MES IMPRESSIONS...

2. Observe les grands ensembles physiographiques représentés sur la carte 20 et classe-les en trois catégories:
   a) les plaines;   c) les plateaux.
   b) les montagnes;

3. Observe les bassins hydrographiques représentés sur la carte 21. Trouve ensuite le plus long fleuve ou la plus longue rivière de chaque bassin.

4. Observe les zones de végétation naturelle représentées sur la carte 24. Quelle zone occupe la plus grande partie du Canada? Y retrouve-t-on surtout des conifères ou des feuillus?

5. Observe les zones climatiques représentées sur la carte 23. Quelle zone influence la plus grande partie du Canada?

6. Identifie les éléments du paysage représenté sur la photo 25. En te basant sur les cartes 20 et 23, trouve deux raisons pour expliquer la présence de fermes maraîchères à cet endroit.

7. Identifie les éléments du paysage représenté sur la photo 30. En te basant sur les cartes 23 et 24, trouve une raison pour expliquer la présence de toundra à cet endroit.

8. Identifie les éléments du paysage représenté sur la photo 33. En te basant sur la carte 21, trouve une raison pour expliquer la présence de pêche commerciale à cet endroit.

J'UTILISE MES DÉCOUVERTES...

9. Sur les cartes muettes A-6 à A-9, identifie et situe les principaux traits physiques du Canada.

10. À l'aide de dessins ou de découpures, illustre un paysage caractéristique d'un des ensembles physiographiques du Canada. Ce paysage doit comporter au moins trois éléments physiques différents.
    Présente ton travail à la classe en indiquant quels sont les liens qui existent entre les éléments de ton paysage.

e relief, l'hydrographie, le climat, la végétation, la faune, les sols et les ressources naturelles font partie des traits physiques du Canada. Ce dossier te permettra de découvrir l'influence de ces éléments les uns sur les autres. Dans le dossier 5, il sera question des liens existant entre les traits physiques du Canada et la répartition de la population à travers le pays. Les dossiers 6 à 9 complètent cette étude en illustrant à l'aide d'exemples quelques secteurs où le milieu naturel influence le développement du Canada.

LE RELIEF DU CANADA VU D'EN HAUT

Afin d'avoir une meilleure vue d'ensemble des traits physiques du Canada, nous les observerons à partir des grandes régions physiographiques de notre pays. En effet, si tu avais la possibilité de survoler le Canada par temps clair, tu apercevrais un relief varié comprenant des montagnes, des vallées, des plaines, des collines et des plateaux. En observant attentivement les formes du terrain, tu pourrais distinguer plusieurs grands ensembles qui présentent chacun une certaine unité de paysage tout en étant différents des ensembles voisins.

19

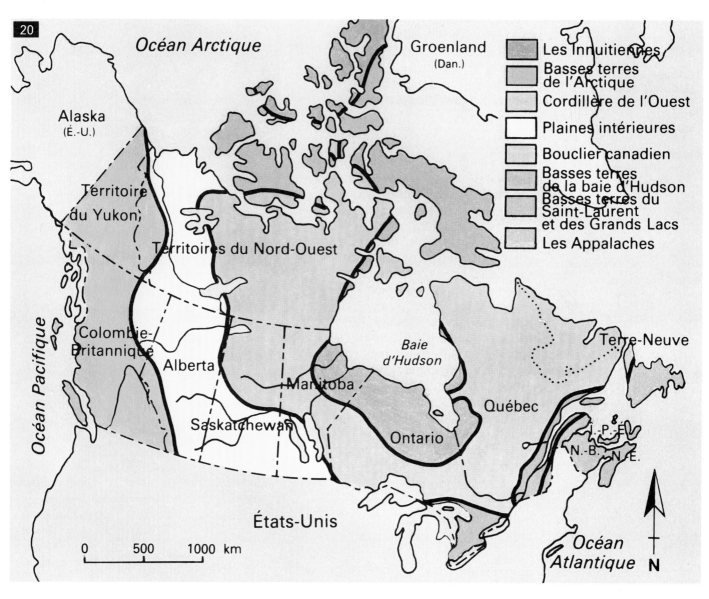

20

Océan Arctique

Groenland
(Dan.)

Les Innuitiennes

Basses terres
de l'Arctique

Cordillère de l'Ouest

Plaines intérieures

Bouclier canadien

Basses terres
de la baie d'Hudson

Basses terres du
Saint-Laurent
et des Grands Lacs

Les Appalaches

Alaska
(É.-U.)

Territoire
du Yukon

Territoires du Nord-Ouest

Océan Pacifique

Colombie-
Britannique

Alberta

Saskatchewan

Manitoba

Baie
d'Hudson

Ontario

Québec

Terre-Neuve

Î.-P.-É.

N.-B.   N.-É.

États-Unis

0   500   1000 km

Océan
Atlantique   N

Le plus grand de ces ensembles est le Bouclier canadien. C'est une vaste région de plateaux rocheux et de collines parsemée d'innombrables lacs et cours d'eau et qui couvre l'est et le centre du Canada. Tout autour du Bouclier canadien le relief s'aplanit. Au sud-est, il y a les basses terres du Saint-Laurent et des Grands Lacs; à l'ouest, la grande région des plaines intérieures s'étend de l'Arctique à la frontière canado-américaine; au nord du cercle polaire, une autre zone au relief peu accidenté touche la partie nord-ouest du Bouclier, ce sont les basses terres de l'Arctique. Et enfin, ceinturant ces régions de plaines et de basses terres, de grands massifs montagneux s'élèvent sur les côtes canadiennes. Les plus hautes de ces montagnes se trouvent sur la côte ouest de notre pays. Il s'agit de la Cordillère de l'Ouest. Sur la côte de l'océan Arctique, à l'extrême nord du Canada, il y a des montagnes appelées les Innuitiennes. Et au sud-est du Canada, sur la côte Atlantique, se trouvent les Appalaches.

19 Paysage du Bouclier canadien.

20 Les ensembles physiographiques du Canada.

LE BOUCLIER CANADIEN:
UN PLATEAU AUX FORMES ARRONDIES

Le Bouclier canadien englobe plus de la moitié de la terre ferme du Canada. Sa forme ressemble à un immense fer à cheval dont les côtés épousent le contour de la baie d'Hudson.

Relief

Le Bouclier canadien est composé de roches très anciennes datant de milliards d'années. Dans son ensemble, le Bouclier canadien forme un vaste plateau car le sol y est soulevé. Le dessus de ce plateau est constitué d'une série de bosses séparées par des creux. Il y avait autrefois des montagnes aussi hautes que les Rocheuses dans cette région mais, avec les siècles, elles ont été aplanies par l'érosion causée par le vent, l'eau et le gel. Toutefois, la monotonie du relief du Bouclier canadien est brisée par de hautes collines: les Laurentides au sud et les monts Torngat à l'est. Une zone de basses terres entoure la baie d'Hudson. Contrairement aux basses terres du Saint-Laurent, les basses terres de la baie d'Hudson sont impropres à l'agriculture. Le climat rigoureux, le **pergélisol** et les terres marécageuses de cette région la rendent presque inhabitable.

Hydrographie

Les puissantes rivières du Bouclier canadien se déversent dans la baie d'Hudson, dans la baie James et dans l'océan Atlantique. Cette région est aussi parsemée de centaines de milliers de lacs formés lors du retrait des glaciers qui recouvraient le Canada il y a 10 000 ans.

Climat

La majeure partie du Bouclier canadien subit l'influence du climat subarctique caractérisé par des hivers longs et froids et des étés courts et frais. C'est dans cette région qu'on rencontre les plus grands écarts entre les températures moyennes d'été et celles d'hiver. Par exemple, à Amos en Abitibi cet écart peut être de 46 °C.

Végétation

La végétation du Bouclier canadien varie selon les conditions climatiques. Une forêt dense composée de feuillus et de conifères couvre la partie sud de la région. Plus au nord, la forêt mixte fait place à une forêt de conifères qui servent à la production de papier et de pâte à papier. À partir de la baie James jusqu'au nord, les conifères diminuent en nombre et en taille pour faire progressivement place à la toundra.

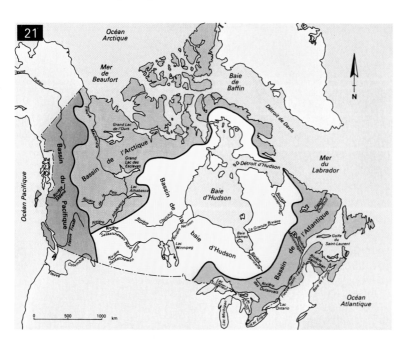

Pergélisol: *sol gelé en permanence.*

Sols

Les sols du Bouclier canadien sont peu attrayants pour l'agriculture car l'humus y est rare. L'humus est une matière composée de résidus de végétaux et d'animaux qui garde l'humidité du sol et lui procure une meilleure fertilité. Par contre, la région renferme d'abondantes ressources. Les rivières, les lacs et les chutes constituent une immense réserve d'eau utilisée pour produire de l'électricité; les étendues boisées servent à la production de nombreux produits de la forêt; les roches anciennes sont riches en minéraux de toutes sortes et les zones récréatives attirent de nombreux touristes.

LES BASSES TERRES ET LES PLAINES

Les basses terres du Saint-Laurent et des Grands Lacs

Relief

Les basses terres du Saint-Laurent et des Grands Lacs occupent une mince bande de terrain comprise entre le Bouclier canadien et les Appalaches. Le relief de cette région est exceptionnellement plat à l'exception de l'escarpement des chutes Niagara et des Montérégiennes. Ces dernières, situées près de Montréal, sont des collines isolées, de petites dimensions, tels les monts Saint-Bruno et Saint-Hilaire.

Hydrographie

L'accès à l'intérieur des basses terres du Saint-Laurent et des Grands Lacs est facilité par le fleuve Saint-Laurent qui, avec ses 3000 kilomètres, est la plus importante voie de communication fluviale du pays. La Voie maritime du Saint-Laurent permet aux navires d'atteindre les Grands Lacs à partir du fleuve grâce à un système de canaux et d'écluses.

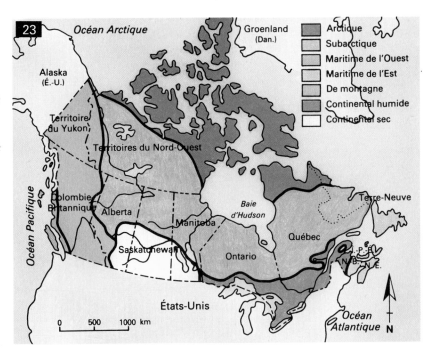

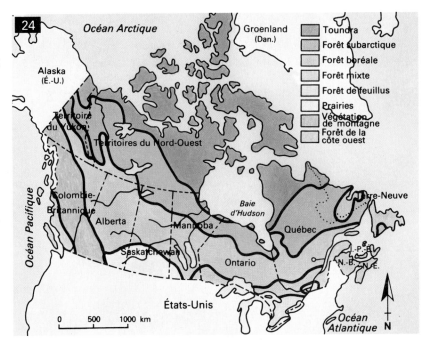

Climat

Les conditions climatiques des basses terres du Saint-Laurent et des Grands Lacs sont moins rigoureuses que celles du Bouclier canadien. Par exemple, la température moyenne de Toronto est de 22 °C en juillet et de 4 °C en janvier. Cependant, les températures se rafraîchissent progressivement de Windsor vers Québec.

Végétation

La végétation naturelle de la région comprend deux types de forêts. Au sud de l'Ontario, c'est une forêt de feuillus composée notamment de noyers noirs et d'érables. La forêt mixte se trouve dans les basses terres du Saint-Laurent. Il faut dire que le climat y est un peu plus rigoureux que celui qui existe au sud de l'Ontario, ce qui explique la présence de conifères parmi les feuillus. Signalons toutefois que la forêt naturelle de la région a presque disparu pour faire place à des champs de culture et au développement urbain.

Sols

La qualité des sols des basses terres du Saint-Laurent et des Grands Lacs est exceptionnelle et l'agriculture y est prospère. Cette région est aussi la plus industrialisée du Canada et l'on y retrouve les deux plus grandes villes du pays: Toronto et Montréal.

Les plaines intérieures

Relief

Bordées à l'ouest par la Cordillère, au nord par l'océan Arctique, à l'est par le Bouclier canadien, les plaines intérieures se prolongent vers le sud bien au-delà de la frontière canado-américaine. Au Canada, elles couvrent la partie sud-ouest du Manitoba, la moitié sud de la Saskatchewan, la presque totalité de l'Alberta et une petite partie de la Colombie-Britannique et des Territoires du Nord-Ouest. Elles constituent la plus vaste étendue de terres presque plates du Canada. L'hydrographie, le climat et la végétation des grandes plaines intérieures canadiennes varient énormément à mesure qu'on descend du nord vers le sud.

Hydrographie

À l'exception du lac Michigan aux États-Unis et du lac Baïkal en URSS, les plus grands lacs du monde se trouvent au Canada. Trois d'entre eux sont situés à la limite des plaines intérieures et du Bouclier canadien. Ce sont le Grand lac de l'Ours et le Grand lac des Esclaves, dans la partie nord, et le lac Winnipeg, dans la partie sud. Trois grands cours d'eau des plaines intérieures ont un débit égal ou supérieur à celui des plus grandes rivières du Bouclier canadien. Il s'agit du fleuve Mackenzie, le plus long cours d'eau du Canada, et de ses tributaires la rivière de la Paix et la rivière des Esclaves. Le Mackenzie se jette dans l'océan Arctique. Dans les Prairies, au sud des plaines, le débit des rivières est en général moins abondant que celui des cours d'eau du Bouclier canadien à cause du relief plat et des faibles précipitations. Les principales rivières des Prairies sont la Saskatchewan, l'Athabasca et l'Assiniboine.

25 Les basses terres du Saint-Laurent et des Grands Lacs.

26 Navire dans la Voie maritime du Saint-Laurent.

27 Les plaines intérieures.

28 Forêt de feuillus du sud de l'Ontario.

Climat

Les deux principaux types de climat des plaines intérieures sont le climat subarctique au nord et le climat continental sec dans les Prairies au sud. Le climat subarctique est caractérisé par des hivers longs et très froids, des étés courts et frais et de faibles précipitations. Dans la zone des Prairies au climat continental sec, les hivers sont longs et froids, les étés très chauds et les précipitations très faibles. L'ensemble des plaines intérieures est d'ailleurs l'une des régions les plus sèches du Canada. On peut attribuer cette situation à la présence des Rocheuses qui jouent le rôle de barrière climatique. Lorsque l'air humide arrive de l'océan Pacifique, il y a évaporation et formation de nuages. Quand ces derniers atteignent les montagnes, il y a précipitation du côté ouest. Lorsque l'air redescend du côté est, il se réchauffe et se dessèche. Ce vent chaud et sec, appelé chinook, se fait sentir surtout au printemps dans les Prairies.

Végétation

Le sol de la moitié nord des plaines intérieures est gelé en permanence à des degrés divers. C'est le domaine de la forêt boréale qui fait place à la toundra à mesure qu'on approche de l'océan Arctique. La densité de population y est évidemment très faible, cette région inhospitalière étant pratiquement inhabitée.

Il en est tout autrement dans la partie sud où se trouvent les Prairies. En dépit des faibles précipitations les sols des Prairies sont très fertiles. L'immense plaine herbeuse et sans arbres de cette région unique de notre pays convient tout particulièrement à la culture à grande échelle des céréales car environ 80% des terres agricoles du Canada y sont concentrées. Le blé est de loin la plus importante culture de la région. Presque toutes les récoltes d'orge, d'avoine, de graines de colza et de seigle proviennent des Prairies. La population vivant de l'agriculture est distribuée également dans la région. Il y a trois grandes villes, Edmonton, Calgary et Winnipeg qui comptent chacune plus de 500 000 habitants mais qui n'ont cependant pas l'importance de Montréal ou de Toronto, plus populeuses, et dont l'économie est beaucoup plus diversifiée.

Les basses terres de l'Arctique

Relief et hydrographie

Les basses terres de l'Arctique sont formées de plaines et de plateaux peu élevés. Cette étendue de basses terres est mal drainée. En été, on y trouve quantité de marécages et d'étangs.

Climat et végétation

Dans cette région de l'Arctique, les hivers sont longs et très froids. L'air se réchauffe l'été et peut même atteindre parfois 25 °C mais en général les températures d'été dépassent rarement 7 °C. Les précipitations y sont faibles tant en hiver qu'en été.

Malgré la rigueur du climat, quelques petits arbres réussissent à pousser dans le sud des basses terres de l'Arctique. La toundra est cependant le type de végétation dominante de cette région. Elle est formée de lichens, de mousses et d'arbrisseaux.

Le sol de ces basses terres est gelé en permanence. En été toutefois, selon les endroits, il peut dégeler en surface à une profondeur qui varie de quelques centimètres à un mètre. Ces sols ne permettent pas de pratiquer l'agriculture.

Le caractère inhospitalier des basses terres de l'Arctique fait qu'elles sont pratiquement inhabitées. Les compagnies pétrolières et gazières s'y intéressent toutefois de plus en plus car leur sous-sol renfermerait de grandes quantités de pétrole et de gaz naturel.

LES MONTAGNES

Les Appalaches

Les Appalaches sont une chaîne de montagnes qui s'étend de l'Alabama, aux États-Unis, jusqu'à Terre-Neuve. Elle couvre le sud-est du Québec sur la rive sud du Saint-Laurent de même que l'ensemble des provinces de l'Atlantique. Cette chaîne de montagnes est beaucoup moins élevée que la Cordillère de l'Ouest. Le plus haut sommet des Appalaches, le mont Jacques-Cartier (1268 m), est situé en Gaspésie.

Climat et végétation

L'océan Atlantique exerce une influence marquée sur le climat et les activités économiques de cette région. Les hivers y sont moins froids qu'à l'intérieur des terres et les étés sont plus frais. Halifax, par exemple, a une température moyenne de -3 °C en janvier. La proximité de l'océan Atlantique favorise aussi la pêche sur les côtes et en haute mer. Il est à noter que c'est dans cette région, plus particulièrement dans la baie de Fundy, que l'on retrouve les plus hautes marées au monde. Elles atteignent parfois 20 mètres.

En plus d'être influencé par l'océan, le climat des Appalaches est aussi influencé par la montagne. Il en résulte une grande variété de climats locaux. Dans cette région, les précipitations sont assez abondantes et bien réparties tout au long de l'année. Elles favorisent la croissance d'une forêt mixte qui alimente plusieurs industries. Ces arbres sont cependant beaucoup plus petits qu'autrefois car la forêt est surexploitée.

Sols

C'est dans les vallées qu'on trouve les sols les plus fertiles des Appalaches. La vallée d'Annapolis en Nouvelle-Écosse est reconnue pour la culture de la pomme. Le sous-sol renferme à certains endroits de l'amiante, du charbon, du cuivre, de l'argent et du zinc.

34

La Cordillère de l'Ouest

Le grand système de la Cordillère est la formation du relief la plus impressionnante du Canada. De nombreux sommets dépassent 4500 mètres. Le mont Logan (5951 m) au Yukon est le point le plus élevé du pays. Les Rocheuses sont les montagnes les plus connues de la Cordillère de l'Ouest avec les stations touristiques de Jasper et de Banff, en Alberta. Un relief accidenté composé de vallées, de plateaux et de montagnes caractérise ce milieu. L'action des glaciers a exercé un rôle considérable dans cette région en façonnant des vallées en «U» et de nombreux lacs. Encore aujourd'hui, de nombreux glaciers existent dans la région des massifs de Saint-Élie au Yukon. Les principaux cours d'eau sont le fleuve Mackenzie, le plus long du Canada, le Yukon, le Fraser ainsi que le Columbia.

Climat et végétation

L'océan Pacifique fait sentir sa présence sur la côte ouest du Canada puisqu'il adoucit les températures, surtout en hiver. Il faut aussi tenir compte du courant marin chaud, le

35

Kuro-shio, qui joue le même rôle. Les courants marins sont des déplacements d'eau froide ou d'eau chaude qui peuvent avoir une action considérable sur le climat de certaines régions. Les vents d'ouest amènent d'abondantes précipitations en hiver sur le versant des montagnes, ce qui fait que la Cordillère est la région la plus arrosée du pays.

C'est aussi sur le bas des versants, orientés vers l'océan Pacifique que l'on retrouve la forêt la plus luxuriante du Canada avec des arbres immenses tels que le sapin Douglas et l'épinette de Sitka.

Les Innuitiennes

Les Innuitiennes sont situées à l'extrême nord du Canada. C'est dans cette région montagneuse que l'on retrouve les plus grands froids du Canada. La rigueur du climat empêche tout développement de l'agriculture et la végétation se limite à la toundra.

Les premières gelées apparaissent souvent en juillet et les étés sont très courts et très frais puisque la température moyenne en juillet n'est que de 5 °C. Le sol demeure gelé en permanence en profondeur. Les Innuitiennes sont souvent considérées comme un désert polaire puisqu'elles reçoivent moins de précipitations que plusieurs régions du Sahara.

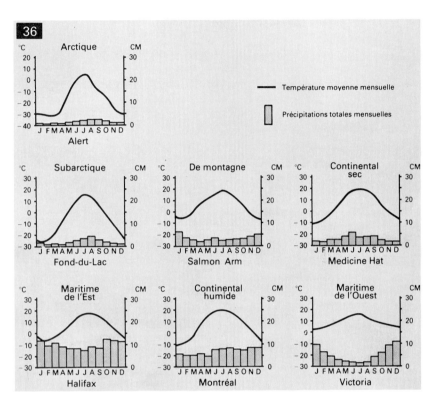

Par exemple, Montréal reçoit en moyenne 999 millimètres de précipitation annuellement comparativement à 80 millimètres pour les Innuitiennes, ce qui est très peu. Il est facile de comprendre pourquoi cette région du Canada est inhabitée.

5 OÙ VIVENT LES CANADIENS ET LES CANADIENNES?

Pourquoi certains coins du Canada sont-ils plus peuplés?

A C T I V I T É S

JE RÉFLÉCHIS...

1. Penses-tu que toutes les parties du Canada sont aussi peuplées les unes que les autres? Discutes-en avec tes camarades.

2. D'après toi, quelle partie du Canada est la plus peuplée? Encercle et colorie cet espace sur une carte muette du Canada. Explique à tes camarades les raisons de ton choix.

JE VÉRIFIE MES IMPRESSIONS...

3. Selon la carte 42, quelles parties du Canada sont les plus peuplées? Indique ces lieux à l'aide de points de repère.

4. Selon le graphique 41, les Canadiens et les Canadiennes habitent-ils surtout la ville ou la campagne?

5. Selon le graphique 41, quel pourcentage de la population canadienne vivait à la ville il y a cent ans?

6. Selon la carte 20 du dossier 4 et la carte 42 de ce dossier, les Canadiens et les Canadiennes préfèrent-ils habiter les régions de plateaux, de plaines ou de montagnes?

7. Selon la carte 23 du dossier 4 et la carte 42 de ce dossier, quel type de climat préfèrent les Canadiens et les Canadiennes?

8. Observe sur la carte 42 les parties du Canada où la population est très faible. À l'aide des informations du dossier 4 et celles de ce dossier, trouve deux causes qui expliquent ce fait.

J'UTILISE MES DÉCOUVERTES...

9. Identifie les zones de population du Canada sur la carte muette **A-10**.

10. Explique dans tes mots pourquoi la population canadienne est surtout concentrée, le long des Grands Lacs et du fleuve Saint-Laurent.
Ton explication doit comprendre au moins deux raisons.

a densité de population sur le territoire canadien varie considérablement d'un endroit à l'autre. De grandes étendues sont inhabitées alors qu'ailleurs, les Canadiens et les Canadiennes vivent entassés les uns sur les autres. Cette répartition inégale de la population n'est pas l'effet du hasard. Au contraire, plusieurs facteurs géographiques expliquent pourquoi un nombre variable d'hommes et de femmes se sont regroupés à certains endroits du Canada.

PRÈS DE LA FRONTIÈRE CANADO-AMÉRICAINE

Une grande partie du territoire canadien, soit tout près de 90%, est inhabitée. L'écoumène, qui est la partie habitée d'un pays, est très limité au Canada. La majorité de la population demeure au sud du pays, à moins de 160 kilomètres de la frontière canado-américaine.

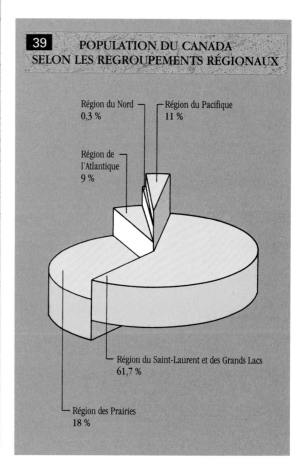

39 POPULATION DU CANADA SELON LES REGROUPEMENTS RÉGIONAUX

Région du Nord 0,3 %
Région du Pacifique 11 %
Région de l'Atlantique 9 %
Région du Saint-Laurent et des Grands Lacs 61,7 %
Région des Prairies 18 %

40

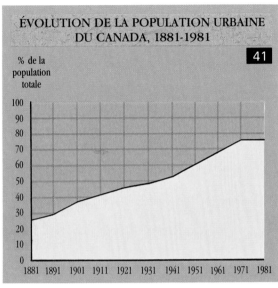

ÉVOLUTION DE LA POPULATION URBAINE DU CANADA, 1881-1981

41

% de la population totale

39 Répartition de la population canadienne selon les regroupements régionaux.

40 La région métropolitaine de Toronto est la plus peuplée du Canada.

41 En cent ans, la population urbaine du Canada est passée de 25% à 75%.

42 Zones de peuplement du Canada.

DANS LES VILLES

Comme 75% de la population canadienne vit en milieu urbain, la concentration de gens à quelques endroits spécifiques du Canada est élevée. Ainsi, en 1981, plus de la moitié des Canadiens demeuraient dans vingt-quatre régions métropolitaines de recensement. Chacune de ces grandes agglomérations est le principal lieu de travail d'au moins 100 000 personnes habitant une zone bâtie en continu.

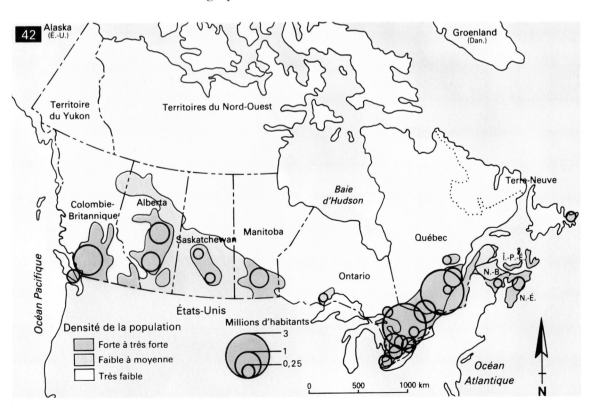

42

Densité de la population

Forte à très forte
Faible à moyenne
Très faible

Millions d'habitants

43 Les deux plus grandes villes du Canada sont situées le long de la Voie maritime du Saint-Laurent.

44 Vancouver, la plus grande ville de la côte ouest, jouit d'un climat doux durant toute l'année.

DANS LES BASSES TERRES DU SAINT-LAURENT ET DES GRANDS LACS

Une analyse plus détaillée nous apprend que plus de 60% des habitants du Canada se retrouvent en Ontario et au Québec, plus particulièrement dans la région des basses terres du Saint-Laurent et des Grands Lacs. Cette région est très favorable au développement humain. D'abord, le réseau hydrographique (fleuve Saint-Laurent, rivière des Outaouais, Grands Lacs) en a facilité l'accès aux premiers colons.

Aujourd'hui, cette route maritime a une importance considérable. Elle permet aux nombreuses industries de cette région de recevoir par bateau les matières premières qu'elles utilisent et d'expédier, par le même moyen, les produits qu'elles fabriquent. De plus, le climat favorable et la fertilité des sols ont permis la croissance et la diversification des activité agricoles. C'est à cet endroit que l'on retrouve les deux plus grandes zones urbaines du Canada: Toronto et Montréal. Dans ces villes, la densité de la population est très forte avec, en certains, endroits, plus de 7700 habitants au kilomètre carré. Par comparaison, si tous les habitants du Canada étaient répartis également sur tout le territoire, cela donnerait une moyenne d'environ 2,6 habitants au kilomètre carré. Cette densité moyenne de la population canadienne est l'une des plus faibles au monde.

ZONES DE PEUPLEMENT AILLEURS QU'AU QUÉBEC ET EN ONTARIO

En Ontario comme au Québec, les bandes de peuplement sont assez rares au nord de la région des basses terres du Saint-Laurent et des Grands Lacs. Le climat y étant plus rigoureux et les sols peu fertiles, les quelques îlots de population s'expliquent surtout par l'industrie forestière, l'extraction minière et l'exploitation de l'énergie hydroélectrique. Une exception toutefois, la région du Lac-Saint-Jean où le climat et les terres fertiles permettent à l'agriculture de prospérer.

Les Prairies

On retrouve une autre zone de peuplement dans les Prairies au sud du Manitoba, de la Saskatchewan et de l'Alberta. Les seules villes populeuses sont: Edmonton, Calgary et Winnipeg. Le relief plat de cette région a facilité la construction de routes et de voies ferrées. Le développement de ces voies de communication et, surtout la fertilité du sol, ont attiré une grande partie de la population. L'exploitation du pétrole et du gaz naturel, qui se trouvent en quantité importante dans le sous-sol de ces provinces, est aussi un facteur qui explique la concentration de population à cet endroit.

La côte sud de la Colombie-Britannique

La Colombie-Britannique regroupe plus de 10% de la population canadienne, soit environ 2,7 millions d'habitants. La plupart d'entre eux vivent au sud de la province, dans les plaines **côtières** et les vallées des montagnes.

Côtières: *qui se trouvent au bord de l'océan.*

L'effet adoucissant de l'océan Pacifique rend le climat plus agréable sur les côtes de la Colombie-Britannique. C'est à Vancouver qu'on retrouve la plus grande densité de population. Les autres parties de cette province sont peu peuplées car étant montagneuses, elles ne favorisent pas le développement de l'activité humaine.

Le littoral des provinces de l'Atlantique

Quant aux provinces de l'Atlantique, on y retrouve plus de deux millions d'habitants. De grandes régions à l'intérieur du Nouveau-Brunswick et de la Nouvelle-Écosse sont inhabitées à cause de la pauvreté des sols et du relief accidenté. C'est pour cette raison que la majorité de la population se retrouve le long des côtes, près de la mer. Il est intéressant de constater que l'Île-du-Prince-Édouard possède la plus forte densité moyenne de toutes les provinces avec 21,6 habitants au kilomètre carré. Ceci s'explique non pas par l'importance de la population, qui n'est que de 122 506 habitants, mais bien par la petite superficie de l'île qui est entièrement habitée.

MILIEUX PEU HABITÉS

Plusieurs parties du territoire canadien ne se prêtent pas à une forte implantation de population. C'est le cas de la toundra, de la forêt boréale et des régions élevées de la Cordillère de l'Ouest ou des Appalaches. Le climat rigoureux, le relief accidenté et la mauvaise qualité des sols sont les principaux facteurs qui empêchent le développement de communautés. Toutefois, en dépit des conditions climatiques difficiles et de la pauvreté des sols, le Nord canadien est habité depuis plusieurs siècles par les Inuit. Ces descendants des premiers habitants du Canada vivent regroupés dans de petits villages situés au Yukon, dans les Territoires du Nord-Ouest, au Labrador et au nord du Québec et de l'Ontario.

45 Les Prairies se sont peuplées à cause de leurs sols fertiles.

46 Peu de Canadiens et de Canadiennes habitent en haute montagne.

47 Au Canada, la zone occupée par la forêt boréale est peu peuplée.

48 Les Inuit habitent de petits villages isolés les uns des autres à l'extrémité nord du Canada.

A C T I V I T É S D E   S Y N T H È S E

Attention! Tu peux te référer aux illustrations et aux textes des dossiers 1 à 5 pour réaliser les activités de synthèse.

1. Quelle idée te fais-tu du Canada après l'exploration des dossiers 1 à 5? Rassemble tes impressions sur une feuille de papier et compare-les à celles que tu avais au départ.

2. Avec tes camarades de classe et l'aide de ton enseignant ou de ton enseignante, trace une grande carte du Canada sur du papier ou du carton affiché sur un mur de ta classe. Sur cette carte, identifie les divisions politiques du Canada, ses principaux traits physiques et ses principales villes.

3. Abdoul est un jeune Afghan qui habite un camp de réfugiés au Pakistan. Sa famille et lui désirent émigrer au Canada. Rédige une lettre d'une page afin d'inviter Abdoul à s'établir au Canada. Ta lettre doit aussi contenir les informations nécessaires pour lui permettre d'avoir une vue d'ensemble du milieu de vie (localisation, superficie, provinces, traits physiques, population) qui l'attend.

B I L A N D ' A P P R E N T I S S A G E

Attention! Tu peux te référer aux illustrations et aux textes des dossiers 1 à 5 pour réaliser le bilan d'apprentissage. Cependant, tu dois faire appel uniquement à ton jugement et à ta mémoire pour faire les activités accompagnées de ce symbole •.

DOSSIER 1

• 1. Trouve la lettre qui correspond à l'endroit où est situé le Canada dans le monde.

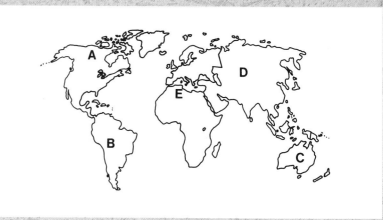

2. Quelle est la frontière du Canada représentée par chacune des lettres suivantes:
   a) w   c) y
   b) x   d) z

3. En utilisant les points cardinaux et intermédiaires, complète chacune des phrases suivantes:

    a) Le Canada est situé à l'_____ de l'Asie.

    b) Les États-Unis sont situés au _____ du Canada.

    c) Le Canada fait partie de l'Amérique du _____.

    d) L'océan Pacifique est situé à l'_____ du Canada.

    e) Les Canadiens qui vont en Europe se dirigent vers l'_____.

DOSSIER 2

•**1.** Sur quelle province ou sur quel territoire du Canada est placée:

    a) la lettre r;

    b) la lettre s;

    c) la lettre t;

    d) la lettre u;

    e) la lettre v.

2. Qui suis-je?

Réponds en nommant la bonne province ou le bon territoire.

    a) Je suis la province la plus peuplée du Canada.

    b) Je suis la plus petite province du Canada.

    c) Je suis la province située le plus à l'ouest du Canada.

    d) Je suis le plus grand territoire du Canada.

    e) Je suis la plus grande province du Canada.

DOSSIER 3

• **1.** Quel rang le Canada occupe-t-il dans le monde quant à sa superficie?

2. Identifie le pays dont la superficie est plus grande que celle du Canada.

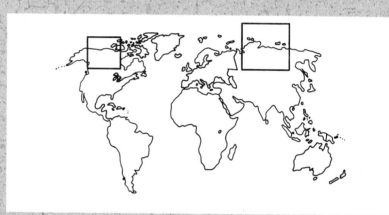

DOSSIER 4

1. Dans quelle région physiographique a été prise cette photo? Choisis ta réponse parmi les trois suggestions suivantes:
a) Les Appalaches;
b) La Cordillère de l'Ouest;
c) Les basses terres de l'Hudson.

2. a) Décris ce paysage en précisant le type de végétation représentée.
b) Selon toi, dans quelle zone climatique est situé ce paysage? S'agit-il du climat subarctique ou du climat continental humide?

DOSSIER 5

1. Selon la carte 20 du dossier 4 et la carte 42 de ce dossier, quel ensemble physiographique du Canada est le plus peuplé?

2. Trouve une raison pour expliquer pourquoi le Nord canadien est moins peuplé que le Sud.

LES ACTIVITÉS ÉCONOMIQUES

Une nouvelle exploration!

Ce que j'en sais...
Ce que j'en pense...

Vingt-cinq millions de Canadiens et de Canadiennes, c'est beaucoup de monde! D'après toi, le Canada produit-il tout ce qui est nécessaire pour satisfaire les besoins (se loger, se nourrir, se déplacer, se divertir, etc.) de toutes ces personnes? En donnant des exemples, échange tes idées sur le sujet avec tes camarades.

Ce que je veux explorer...

Quelles informations aimerais-tu recueillir sur le Canada afin de mieux comprendre comment les Canadiens et les Canadiennes réussissent à satisfaire leurs différents besoins? Quels moyens prévois-tu utiliser pour trouver des réponses à tes questions?

6 LES RESSOURCES NATURELLES

Y en a-t-il beaucoup au Canada? À quoi servent-elles?

A C T I V I T É S

JE RÉFLÉCHIS...

1. Le dossier 3 t'a permis de découvrir l'immensité du territoire canadien. D'après toi, ce vaste territoire renferme-t-il, à l'état naturel, des richesses utiles aux Canadiens et aux Canadiennes?
Explique ce que tu en sais ou ce que tu en penses.

JE VÉRIFIE MES IMPRESSIONS...

2. À partir des cartes et des illustrations de ce dossier identifie les principales ressources naturelles du Canada.

3. Choisis une ressource naturelle parmi celles que tu as identifiées à l'activité 2. Ensuite, indique où se trouve cette ressource sur le territoire du Canada.

4. Classe les ressources naturelles que tu as identifiées à l'activité 2 en deux groupes: les ressources renouvelables et les ressources non renouvelables.
Exemple:

Ressources naturelles du Canada	
Renouvelables	Non renouvelables

5. Nomme deux ressources naturelles du Canada qui ne se trouvent pas en quantité importante au Québec.

6. Nomme deux ressources naturelles qui ne se trouvent pas sur le territoire du Canada.

J'UTILISE MES DÉCOUVERTES...

7. Avec tes camarades, monte un album afin d'illustrer de quelles façons les ressources naturelles du Canada sont utiles aux Canadiens et aux Canadiennes.
Chaque page de cet album peut présenter une ressource naturelle accompagnée de deux ou trois exemples illustrant son utilité.

u Canada, la nature fournit une foule d'éléments très utiles. Dans ce dossier, tu découvriras l'importance et l'utilité des ressources qui proviennent de la forêt, du sous-sol, du sol et de l'eau. Dans l'ensemble, ces ressources naturelles sont réparties à travers les dix provinces et les deux territoires du Canada.

LES RESSOURCES DE LA FORÊT

La forêt constitue l'une des principales ressources renouvelables du Canada. Elle s'étend d'un océan à l'autre sur une bande continue de 500 à 2100 kilomètres de largeur. Même si la forêt couvre environ 44% de la superficie du Canada, à peine 60% des forêts sont exploitées commercialement. Une forêt commerciale est un endroit où les arbres sont accessibles et utilisables pour en faire divers produits tels que du papier, du bois de sciage ou des meubles. La Colombie-Britannique, le Québec et l'Ontario sont les trois principales provinces productrices de bois. L'exploitation de la forêt contribue largement à assurer la prospérité économique des Canadiens puisqu'au pays, un emploi sur dix dépend de cette ressource.

49

49 Les sapins Douglas de Colombie-Britannique sont très utilisés dans l'industrie de la construction.

50 La forêt boréale fournit la matière première nécessaire à un grand nombre d'usines de pâtes et papiers.

51 Les forêts du Canada.

On compte au Canada tout près de 140 espèces d'arbres qui se divisent en deux groupes. Il y a les conifères comme le pin, le sapin baumier et l'épinette. Il y a aussi les feuillus qui comptent plus d'espèces, notamment l'érable, le bouleau, le peuplier et le chêne. Les conifères constituent les quatre cinquièmes de la forêt commerciale et les feuillus, le reste. Les principaux arbres utilisés pour la fabrication des pâtes et papiers sont les conifères tels que le sapin baumier et l'épinette. Quant au sapin Douglas, au pin et au thuya qui sont aussi des conifères, on les utilise pour le bois d'oeuvre qui sert à la construction. Le chêne, le merisier, le bouleau, l'érable et le peuplier sont les principaux feuillus qui ont une valeur commerciale.

La majorité des forêts canadiennes appartiennent aux gouvernements fédéral et provinciaux. Par contre, ce sont des compagnies privées qui se chargent de leur exploitation. Les incendies, les insectes, les maladies et la mauvaise exploitation sont les principales causes de destruction de la forêt canadienne. Heureusement, la forêt est renouvelable, c'est-à-dire qu'elle se reproduit d'elle-même à condition de ne pas couper tous les arbres d'un même endroit. De plus en plus, on fait aussi du reboisement afin d'aider la forêt à se reconstituer. Ceci est important car il n'y a pas que les arbres dans les forêts. Il y a des centaines de plantes et près de 300 espèces d'oiseaux et de nombreuses espèces de mammifères y trouvent refuge. La forêt offre aussi de multiples possibilités pour les loisirs.

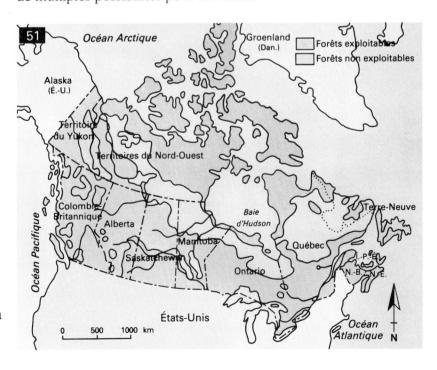

52 Le sous-sol canadien renferme beaucoup de pétrole.

53 Les principales ressources minérales du Canada.

54 Le pétrole étant une ressource naturelle non renouvelable, il faut sans cesse forer de nouveaux puits.

55 Des mines souterraines permettent d'avoir accès à plusieurs minéraux.

56 Les terres agricoles du Canada.

57 Troupeau de vaches laitières.

LES RESSOURCES DU SOUS-SOL

L'exploitation des ressources du sous-sol constitue un autre secteur important de l'économie canadienne. Ces ressources sont très variées puisque le sous-sol canadien renferme une soixantaine de minéraux. D'ailleurs, notre pays est l'un des plus grands exportateurs de minéraux au monde.

On compte quatre types de minéraux. Il y a les **combustibles fossiles** tels que le gaz naturel, le pétrole, la houille et les sables bitumineux. Un autre type est constitué par les minéraux métalliques comme le fer, l'or, le cuivre, l'argent, le zinc, le nickel et le plomb. Il y a aussi les minéraux non-métalliques que sont le sel, l'amiante, la potasse et le soufre. Finalement, les matériaux de construction comme le ciment, la chaux et l'argile constituent le dernier type.

Les minéraux métalliques se retrouvent surtout en Ontario, au Québec, en Colombie-Britannique et au Manitoba. C'est en Ontario qu'on rencontre la plus grande diversité de minéraux. Les principaux sont le nickel, l'or, l'argent, le cuivre et le zinc. Les minéraux non-métalliques se trouvent principalement au Québec, en Saskatchewan et en Alberta. L'amiante, le soufre, la potasse et le sel sont les principaux. Les combustibles fossiles sont concentrés surtout en Alberta, en Saskatchewan et en Colombie-Britannique. Le pétrole et le gaz naturel de l'Alberta et de la Saskatchewan constituent les principales ressources minières du Canada. Le Nord canadien recèle aussi des gisements pétroliers et gaziers sur lesquels on fonde beaucoup d'espoir. Le charbon, appelé aussi houille, provient en majeure partie de l'Alberta, de la Colombie-Britannique, de la Saskatchewan, ainsi que de la Nouvelle-Écosse. Les matériaux de construction comme le ciment, le sable et le gravier proviennent principalement de l'Ontario, du Québec et de la Colombie-Britannique.

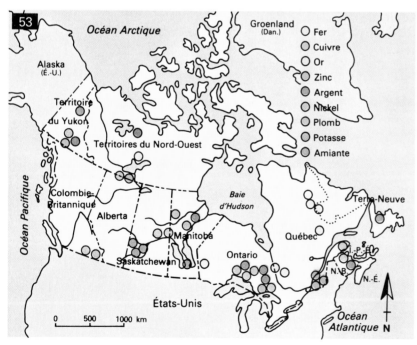

Combustibles fossiles: *déchets d'organismes du règne animal ou végétal qui se sont transformés en combustibles pendant des millions d'années.*

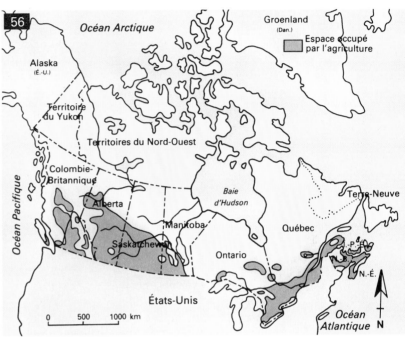

nature des sols et la forme du terrain. Cependant environ 80% des terres agricoles se trouvent dans les Prairies où la culture à très grande échelle des céréales comme le blé, l'orge et l'avoine domine les paysages. Le blé est d'ailleurs la principale production agricole du Canada. L'élevage de bovins, qui se pratique sur de grands pâturages, est aussi typique de la région des Prairies. En Colombie-Britannique on pratique surtout l'élevage des vaches laitières et des bovins.

Contrairement aux ressources forestières qui sont renouvelables en grande partie, les ressources minérales ne le sont pas. Lorsque les gisements sont épuisés, on doit fermer la mine ou la carrière. Certaines mines peuvent êtres exploitées à ciel ouvert comme c'est le cas pour l'amiante et le fer. D'autres sont souterraines comme les mines de zinc, c'est-à-dire que des mineurs doivent descendre, souvent à une très grande profondeur, pour atteindre le minerai.

LES RESSOURCES DU SOL
L'agriculture est pratiquée dans toutes les provinces du Canada. Les types de culture varient d'un endroit à un autre selon le climat, la

58 Terres agricoles des Prairies.

59 Les sols de l'Île-du-Prince-Édouard se prêtent bien à la culture de la pomme de terre.

L'Ontario et le Québec sont aussi d'importantes régions agricoles à cause des sols fertiles et du climat favorable. Dans ces provinces, l'élevage de vaches laitières, de porcs et de volailles domine ainsi que la culture de certains fruits. Les agriculteurs de l'Ontario fournissent également environ 80% de la récolte de maïs en grains du Canada. Ce maïs sert à l'alimentation du bétail. Quant aux provinces de l'Atlantique, certaines régions côtières sont propices à l'industrie laitière, à l'élevage de la volaille et à la culture de la pomme de terre. Toutefois, des quatre provinces de l'Atlantique, c'est l'Île-du-Prince-Édouard qui possède les meilleures terres. Sur cette île, c'est la pomme de terre qui vient au premier rang des cultures.

Grâce aux conditions climatiques particulières de certaines régions, il y a aussi au Canada des endroits où il est possible de cultiver des fruits qui ne poussent nulle part ailleurs au pays. Les pêches, les cerises et le raisin ne sont cultivés que dans la région de Niagara au sud de l'Ontario et dans la vallée de l'Okanagan en Colombie-Britannique. Parmi la variété de fruits et de légumes cultivés commercialement au Canada, la pomme demeure le fruit le plus répandu tandis que la pomme de terre est le légume le plus important. Les pommes sont cultivées dans tout le sud-est du Canada et en Colombie-Britannique tandis que les provinces de l'Atlantique sont la principale région de culture de la pomme de terre.

L'agriculture canadienne est donc très variée. Le Canada doit toutefois importer certaines denrées comme le café, le thé, le cacao et plusieurs sortes de fruits qui ne poussent que dans les pays chauds.

LES RESSOURCES DE L'EAU

Les réserves d'eau du Canada constituent une autre richesse très importante pour son développement économique. Si on examine une carte du pays, on s'aperçoit qu'il est entouré d'eau partout, sauf au sud. La pêche est une activité importante pour les provinces de l'Atlantique, tout particulièrement pour Terre-Neuve et la Nouvelle-Écosse. Elle l'est également pour la Colombie-Britannique située à proximité de l'océan Pacifique. Les eaux canadiennes renferment plusieurs espèces de poissons mais le saumon est celle qui a la plus grande valeur commerciale.

L'eau de plusieurs puissantes rivières du Canada est aussi utilisée pour produire de l'électricité. La centrale hydroélectrique des chutes Churchill au Labrador est une des plus grandes centrales au pays. Cependant, c'est le Québec qui possède les ressources hydroélectriques les plus considérables du Canada. Notre province produit plus du tiers de l'hydroélectricité canadienne.

L'eau a également plusieurs autres usages. On s'en sert pour l'agriculture, le transport, les industries, les activités récréatives et l'usage quotidien dans nos maisons. La conservation de l'eau, comme toutes les autres ressources, est donc nécessaire au Canada et ailleurs si l'on veut profiter encore longtemps des bienfaits de la nature.

60 Barrage hydroélectrique sur la rivière Niagara.

61 Déchargement des prises de saumons.

62 L'eau sert aussi à des fins récréatives.

7 LES PRODUCTIONS

Que produit le Canada? Où sont les usines?

A C T I V I T É S

JE RÉFLÉCHIS...

1. D'après toi, que font les Canadiens et les Canadiennes avec les ressources naturelles qui se trouvent sur leur territoire?

2. Énumère des objets que toi ou les membres de ta famille possédez à la maison. Parmi eux, lesquels, d'après toi, ont été fabriqués au Canada?

JE VÉRIFIE MES IMPRESSIONS...

3. À partir de la carte 65 et des illustrations de ce dossier, trouve les principaux produits fabriqués par les industries du Canada.

4. Choisis cinq productions importantes du Canada et nomme la principale matière première qui entre dans la fabrication de chacune.

5. Selon la carte 65 et les informations de ce dossier, quelles sont les deux provinces du Canada les plus industrialisées? Trouve une bonne raison pour expliquer cette situation.

6. Trouve une raison pour expliquer pourquoi la production de l'aluminium est très importante au Québec.

J'UTILISE MES DÉCOUVERTES...

7. Complète la carte A-11 de façon à situer les principales productions du Canada selon les provinces.

8. Avec tes camarades, construis un tableau représentant cinq productions que le Québec a intérêt à échanger à cinq autres provinces du Canada en retour d'une de leurs productions. Exemple:

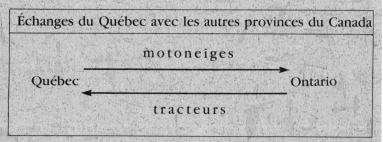

Échanges du Québec avec les autres provinces du Canada

Québec ⟶ motoneiges ⟶ Ontario

Québec ⟵ tracteurs ⟵ Ontario

 uelles sont les principaux types d'industries de notre pays? Où sont situées ces industries? Quels produits fabriquent-elles? En quoi les ressources naturelles du Canada sont-elles utiles à l'industrie? Si ces questions t'intéressent, tu pourras trouver plusieurs réponses en consultant les illustrations et le texte de ce dossier.

TYPES D'INDUSTRIES

On peut distinguer deux types d'industries. Il y a l'industrie primaire où les ressources naturelles sont exploitées pour devenir des matières premières. Le minerai de fer, par exemple, est extrait du sous-sol, mais ne peut être utilisé tel quel pour fabriquer des voitures. C'est une matière première qui doit être transformée. C'est la même chose pour le blé avec lequel on ne peut faire du pain sans d'abord l'avoir transformé en farine. Le deuxième type d'industrie est l'industrie secondaire où les matières premières sont transformées: le fer est transformé en acier qui à son tour servira à la fabrication d'automobiles, le blé devient farine avec laquelle on fera le pain. C'est ce qu'on appelle les industries de transformation. Regardons maintenant ce que fabriquent les principales industries canadiennes et où elles sont situées.

63

LOCALISATION DES INDUSTRIES AU CANADA

La majeure partie des industries de transformation sont situées en Ontario et au Québec. Cette réalité n'est pas l'effet du hasard. Ces deux provinces possèdent en effet de nombreux avantages qui favorisent l'implantation d'industries. Ce sont les provinces les plus populeuses du pays où la main-d'oeuvre est abondante. Elles constituent aussi un marché intéressant pour la vente des produits finis. De plus, le réseau de transport y est très développé. Les matières premières peuvent être acheminées facilement vers les usines et les produits finis expédiés rapidement vers les

63 Transformation du fer en acier (industrie primaire).

64 Fabrication d'une pièce en acier (industrie secondaire).

65 Les principales productions industrielles du Canada.

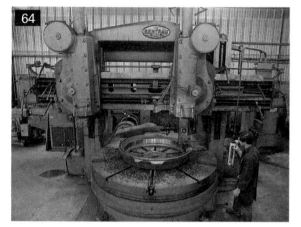

64

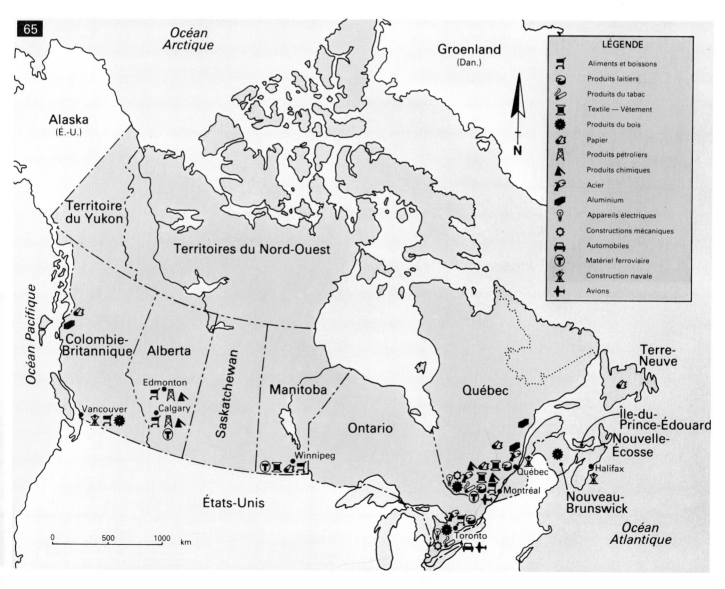

65

LÉGENDE

Aliments et boissons
Produits laitiers
Produits du tabac
Textile — Vêtement
Produits du bois
Papier
Produits pétroliers
Produits chimiques
Acier
Aluminium
Appareils électriques
Constructions mécaniques
Automobiles
Matériel ferroviaire
Construction navale
Avions

Océan Arctique

Groenland (Dan.)

N

Alaska (É.-U.)

Territoire du Yukon

Territoires du Nord-Ouest

Océan Pacifique

Colombie-Britannique

Alberta

Saskatchewan

Manitoba

Québec

Terre-Neuve

Edmonton

Calgary

Vancouver

Winnipeg

Ontario

Québec

Montréal

Île-du-Prince-Édouard

Nouvelle-Écosse

Halifax

Nouveau-Brunswick

États-Unis

Toronto

Océan Atlantique

0   500   1000   km

66 Usine de raffinage de pétrole.

67 Aciérie.

68 Chaîne de montage d'automobiles.

69 Abattoir d'animaux de boucherie.

points de vente. L'Ontario est la plus industrielle des provinces, suivie de près par le Québec. Toutes les industries de transformation sont présentes dans ces deux provinces. Par exemple, le Québec est le premier producteur de papier alors que l'Ontario fabrique près de 75% de l'équipement de transport. À elles seules, ces deux provinces produisent les trois quarts des produits manufacturés au Canada.

Il ne faudrait pas en conclure, cependant, qu'il n'y a pas d'industries dans les autres provinces canadiennes. La Colombie-Britannique est la troisième province la plus industrialisée. On y fabrique, par exemple, beaucoup de produits du bois et du papier, les usines de transformation des aliments, en particulier la préparation du poisson, sont nombreuses. Dans les provinces des Prairies, on fabrique des produits du pétrole et du charbon et des produits chimiques. L'industrie alimentaire y est aussi très importante, surtout les abattoirs de boeuf de boucherie. Les provinces de l'Atlantique sont les moins industrialisées des provinces canadiennes. Elles sont aussi les moins populeuses. La transformation des aliments y est la principale industrie secondaire. Cependant, la pêche et l'extraction minère jouent un rôle important dans l'économie de ces provinces. Au Yukon et dans les Territoires du Nord-Ouest, l'extraction minière y est la principale activité économique.

LES PRINCIPALES PRODUCTIONS

Industrie pétrolière et gazière
Le pétrole et le gaz naturel sont les principales ressources minérales du pays. Ces deux ressources doivent être raffinées et traitées avant d'être mises sur le marché. La majorité des usines de raffinage se trouvent près des grands centres urbains. Le pétrole et le gaz naturel sont acheminés directement par pipelines vers les centres de raffinage et de traitement. L'essence, le mazout, le plastique et le caoutchouc synthétique sont quelques-uns des produits provenant de ces deux ressources.

Industrie sidérurgique
Les usines sidérurgiques fabriquent de l'acier à partir d'un mélange qui comprend du fer, du charbon et du calcaire. Ces industries s'établissent habituellement à proximité des lieux de production de ces matières premières pour diminuer les coûts de transport. Les villes d'Hamilton et de Sault Sainte-Marie, situées en Ontario, sont les deux plus importants centres sidérurgiques du pays. Il y a également des usines dans d'autres provinces, mais elles sont de plus petites dimensions. Depuis quelques années, ces industries connaissent certaines difficultés à cause de la concurrence étrangère, de la montée des coûts de production et de la baisse de la demande.

67

Industrie automobile
Tout près de 60% de l'acier fabriqué au Canada sert à l'industrie automobile. Celle-ci est importante puisqu'elle est reliée à d'autres types d'industries. Par exemple, l'industrie automobile ne peut fonctionner sans l'apport des aciéries, des usines de caoutchouc et de nombreuses autres usines dont les produits

66

vinces, tout particulièrement en Ontario et au Québec. Ce type de production est diversifié car il comprend la fabrication de lait, de beurre, de fromage ainsi que de nombreux autres produits. Les provinces des Prairies ont plusieurs usines de transformations des céréales. On y trouve aussi des abattoirs et des usines de préparation de la viande. Les conserveries de fruits et de légumes, les boulangeries, les brasseries et les usines d'embouteillage de boissons diverses font aussi partie de l'industrie alimentaire.

entrent dans la fabrication d'une voiture. C'est en Ontario qu'on retrouve les principaux constructeurs américains que sont General Motors, Ford et Chrysler. Au Québec, la principale usine est celle de General Motors située à Sainte-Thérèse. Depuis quelques années, les constructeurs japonais et coréens ont aussi bâti des usines au Canada. Toyota et Nissan se sont établis en Ontario, tandis que Hyundai a choisi le Québec.

Industrie alimentaire

L'industrie alimentaire est celle qui emploie le plus de main-d'oeuvre au Canada. Dans chaque province, des usines transforment les produits agricoles, les produits de la pêche ou de l'élevage en une grande variété d'aliments. Les provinces de l'Atlantique possèdent plusieurs usines de transformation de poisson puisque la pêche y est une activité relativement importante. La production laitière est développée dans la majorité des pro-

Industrie de l'aluminium

L'aluminium produit au Canada n'est pas une ressource naturelle extraite des mines comme le fer ou le cuivre. Il est fabriqué à partir de la bauxite que l'on doit importer de l'étranger. Comme sa fabrication nécessite de grandes quantités d'électricité, c'est pourquoi la majorité des usines d'aluminium sont situées au Québec et quelques-unes en Colombie-Britannique. L'aluminium est, après le fer, le métal le plus employé dans l'industrie sous forme d'alliages. Il entre dans la fabrication de produits tels que des encadrements de portes, des fils électriques, des casseroles, des avions, etc. Les usines qui fabriquent des produits contenant de l'aluminium sont situées surtout au Québec, en Ontario et en Colombie-Britannique.

Industrie forestière

Une autre industrie de taille au Canada est celle du bois avec lequel on fabrique du papier, des meubles et de nombreux autres articles. Cette industrie est particulièrement importante en Colombie-Britannique, qui est la première province productrice de bois. Le Québec et l'Ontario possèdent plusieurs usines de pâtes et papiers qui emploient une main-d'oeuvre considérable. Ce sont dans ces deux mêmes provinces que l'industrie du meuble est la plus développée.

Industrie du textile

La grande majorité des industries du textile sont situées au Québec et en Ontario. Ces usines produisent des tissus de toutes sortes et des vêtements pour hommes, femmes et enfants. Ce type d'industrie fait face à plusieurs problèmes puisque des usines étrangères fabriquent des produits semblables à un coût plus faible. Plusieurs usines appartenant à des compagnies comme la Dominion Textile et la Wabasso ont donc fermé leurs portes depuis quelques années. Le gouvernement fédéral essaie, tant bien que mal, de protéger cette industrie en imposant une limite aux importations étrangères de produits du textile.

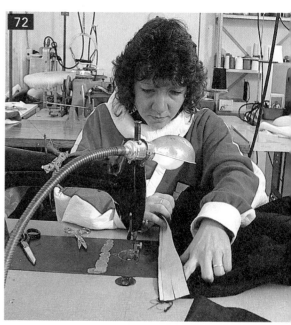

Industrie électronique

Les industries électroniques constituent un autre type de production très importante dans l'économie canadienne. Comme l'électronique est de plus en plus présente dans notre vie quotidienne, l'importance de ces industries va certes s'accentuer. Plusieurs compagnies se disputent le marché canadien pour la production de nombreux produits électriques et électroniques: articles ménagers, équipement de communication, robots industriels et de nombreux autres. La majorité de ces industries sont concentrées dans les grands centres comme Montréal, Toronto et Vancouver, qui sont de vastes marchés.

70 Coulage de l'aluminium.

71 Fabrication de contre-plaqué

72 Manufacture de vêtements.

73 Robots industriels.

73

8 LE TRANSPORT DES MARCHANDISES

Par terre? Par mer? Par air?

ACTIVITÉS

JE RÉFLÉCHIS...

1. Aux dossiers 6 et 7 tu as découvert que le Canada exploitait les ressources naturelles de son territoire afin d'obtenir les matières premières nécessaires à la fabrication d'une grande variété de produits.

   Selon toi, ces matières premières et ces produits ont-ils besoin d'être transportés d'un endroit à un autre du Canada? Pourquoi? Explique ce que tu en penses.

2. D'après toi, comment s'effectue le transport des marchandises (matières premières, produits) dans un pays immense comme le Canada?

JE VÉRIFIE MES IMPRESSIONS...

3. À partir des informations de ce dossier, trouve les principaux moyens de transport de marchandises au Canada.

4. À partir des informations de ce dossier, trouve deux sortes de marchandises qui sont habituellement associées à chacun des moyens de transport énumérés à l'activité 3.

5. Observe les photos illustrant le transport du blé des Prairies jusqu'à la ville de Montréal. Peux-tu identifier les moyens de transport et les voies de communication utilisés?

6. Recherche des raisons pour expliquer pourquoi le transport du blé s'effectue par wagons des Prairies jusqu'aux Grands Lacs et par bateau entre les Grands Lacs et Montréal.

7. À partir des cartes 77 et 78, peux-tu dire quelle distance approximative parcourt le blé entre Régina et Montréal?

J'UTILISE MES DÉCOUVERTES...

8. À partir d'un atlas et des informations recueillies dans ce dossier, inscris sur la carte muette **A-12** les moyens de transport et les voies de communication les plus appropriés pour transporter une marchandise de ton choix entre deux provinces du Canada.

   Présente ton travail à la classe en justifiant pourquoi tu as préféré certains moyens de transport et certaines voies de communication à d'autres.

   Exemple:
   - *le transport de homards vivants entre les Îles-de-la-Madeleine (Québec) et Toronto (Ontario);*
   - *le transport de motoneiges entre Valcourt (Québec) et Yellowknife (Yukon).*

e Canada est le deuxième plus grand pays au monde. Son territoire est aussi vaste que ceux de tous les pays d'Europe réunis. Les moyens de transport et les voies de communication jouent donc un rôle capital dans la circulation des matières premières et des produits aux quatre coins de cet immense pays. Le transport de ces marchandises s'effectue principalement par bateau, par train, par camion, par avion et par pipeline.

LES MOYENS DE TRANSPORT

Le bateau

La navigation est le plus ancien moyen de communication au Canada. Partout où les voies d'eau étaient navigables, les premiers habitants s'en sont servis pour se déplacer. Les explorateurs européens au 17e et au 18e siècles ont aussi utilisé les fleuves, les rivières et les lacs pour se familiariser avec ce nouveau territoire. Parmi toutes les voies d'eau, le fleuve Saint-Laurent a sans doute joué le rôle le plus important pour le transport des marchandises. À l'époque de leur fondation, les établissements français de Québec, Trois-Rivières et Montréal étaient approvisionnés par des bateaux qui venaient d'Europe. Le même moyen de transport servait à expédier en sens inverse les fourrures, le bois et le poisson du Canada.

74

Aujourd'hui encore, le fleuve Saint-Laurent est une voie commerciale très achalandée. Depuis l'ouverture de la Voie maritime du Saint-Laurent en 1959, des navires océaniques peuvent remonter le fleuve Saint-Laurent et se rendre jusqu'aux Grands Lacs, au coeur de la région la plus industrialisée du Canada.

Pour cela on a dû construire des canaux et des écluses pour relier entre elles des sections qui n'avaient pas la même élévation. Par exemple, les chutes Niagara hautes de 100 mètres, entre les lacs Ontario et Érié, peuvent être contournées grâce à un système de huit écluses. Une écluse ressemble à une baignoire qui aurait des portes pouvant être ouvertes et fermées. Lorsqu'un navire est dans une écluse, on peut faire monter ou descendre l'eau afin de lui permettre de passer d'un niveau à un autre.

74 Port de Québec, à la fin du 18e siècle.

75 Fonctionnement d'une écluse.

76 Navire franchissant une écluse.

Le transport par bateau se fait à partir de ports où l'on peut charger ou décharger les marchandises. Le port canadien le plus achalandé est celui de Vancouver. Parmi les ports les plus importants du Canada, il y a aussi, par ordre d'importance, ceux de Port-Cartier, Thunder Bay, Montréal, Sept-Îles et Québec.

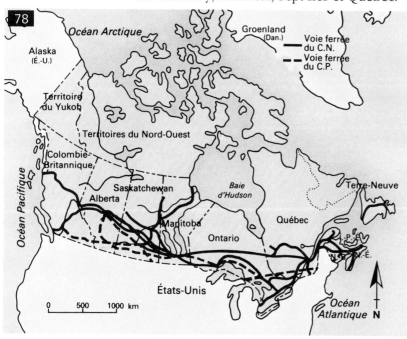

Le train

Le chemin de fer est un autre moyen de transport très utilisé au Canada. Comme le bateau, il permet de transporter sur de longues distances des marchandises lourdes ou **en vrac** à un coût peu élevé. Au 19e siècle, le chemin de fer a joué un rôle capital dans la formation et le développement du Canada. La Colombie-Britannique, par exemple, a accepté en 1870 de faire partie de la Confédération canadienne à condition d'être reliée par chemin de fer aux autres provinces de l'Est. Le peuplement et le développement économique des provinces des Prairies se sont considérablement accélérés lorsqu'elles ont été accessibles par train.

Le système ferroviaire canadien comprend aujourd'hui deux grands réseaux qui sillonnent le pays d'un océan à l'autre: le Canadien National et le Canadien Pacifique. Ces deux réseaux suivent un axe est-ouest afin de faciliter les échanges commerciaux entre les provinces canadiennes. Les voies ferrées sont surtout concentrées dans le sud du pays, là où l'activité économique est la plus forte. Le réseau le plus achalandé se situe entre Montréal, au Québec et Windsor, en Ontario, de même qu'entre le Manitoba et le lac Supérieur.

En vrac: *sans emballage.*

Le camion

Pendant longtemps la route n'a été qu'un chemin reliant deux endroits rapprochés. Aujourd'hui, le système routier est très développé. Il forme un véritable réseau qui relie entre elles la plupart des localités du Canada. L'amélioration du réseau routier a contribué à accroître le transport des marchandises par camion. Même s'il est apparu plus tard, le camion a presque complètement remplacé le train pour le transport des marchandises sur de courtes distances. Le camion a un net avantage sur le train, celui de pouvoir prendre et livrer des marchandises à une multitude d'endroits tandis que le train est limité par son réseau de voies ferrées.

L'avion

L'avion est le dernier-né des moyens de transport au Canada. Il existe depuis 1937 un réseau aérien national. L'avion est utile pour le transport rapide de certaines marchandises sur de longues distances mais les coûts sont élevés. Cependant, le transport aérien demeure le seul moyen d'approvisionner certains villages isolés du Nord canadien. C'est pourquoi des tomates achetées dans un village inuit coûteront deux ou trois fois plus cher que celles achetées dans un village du Sud.

Il existe au Canada plusieurs compagnies aériennes: Air Canada et Canadien international sont les plus importantes. Les aéroports les plus occupés sont ceux de Toronto, Dorval (Montréal), Vancouver et Calgary.

Les oléoducs et les gazoducs

Les oléoducs et les gazoducs sont d'autres moyens qui assurent la circulation des produits canadiens. Les deux sont de long tuyaux. Le premier sert à transporter le pétrole sur de longues distances et le second, le gaz naturel. Plusieurs oléoducs et gazoducs partent de l'Alberta étant donné que le sous-sol de cette province renferme d'abondantes réserves de pétrole et de gaz. Le gaz naturel utilisé dans plusieurs édifices, usines et résidences du Québec est transporté par gazoduc depuis les provinces productrices des Prairies.

77 Les principaux ports du Canada.

78 Les principaux axes du réseau ferroviaire du Canada.

79 Convoi de wagons chargés de minerai de fer.

80 Chargement de bétail dans un avion cargo.

81 Camion de livraison de produits alimentaires.

82 Les principaux axes du réseau de gazoducs et d'oléoducs du Canada.

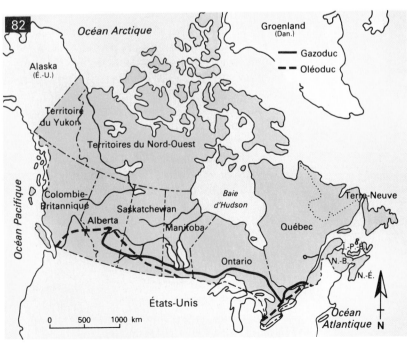

83 Installation d'un gazoduc.

84 Déchargement d'un bateau de minerai de fer.

LES MARCHANDISES

Les moyens de transport utilisés au Canada assurent une circulation rapide et efficace d'une grande variété de marchandises. Celles-ci peuvent être regroupées en quatre catégories principales: les produits agricoles, les ressources minérales, les produits de la forêt et les produits finis.

Les produits agricoles

Les grains comme le blé, le seigle, l'orge, l'avoine et le maïs sont les principaux produits agricoles du Canada. Mais ils sont cultivés presque exclusivement dans les Prairies et doivent donc être expédiés partout au Canada et vers plusieurs pays du monde. Le transport des grains s'effectue principalement par train et par bateau car c'est plus économique. Une partie des grains des Prairies va vers la Colombie-Britannique par train et de là par bateau vers l'Asie. Une autre partie est expédiée vers l'est du Canada ou l'Europe par train et par bateau.

Les pêches, les cerises, les pommes et les poires de la vallée de l'Okanagan, en Colombie-Britannique ou de la région du Niagara, en Ontario, sont emballées avec soin avant d'être expédiées aux quatre coins du Canada par camion et wagon réfrigérés.

Le Québec occupe une place importante dans la production de produits laitiers. On utilise surtout le camion pour transporter ces produits vers les grandes villes. Il en est de même pour les animaux de boucherie comme les bovins, les porcs et les volailles. Dans l'ouest du pays, le train est aussi utilisé pour transporter les bovins vers les abattoirs.

Les ressources minérales

La Nouvelle-Écosse, le Nouveau-Brunswick, la Saskatchewan, l'Alberta et la Colombie-Britannique produisent du charbon. Le train est le meilleur moyen pour transporter ce produit lourd et encombrant. La plupart des autres minerais qu'on retrouve au pays, comme le cuivre, le nickel ou le fer, sont aussi transportés par train ou par bateau vers les grands centres industriels pour y être transformés.

Le pétrole et le gaz naturel qui viennent surtout de l'Alberta et de la Saskatchewan sont transportés par oléoducs et par gazoducs. À la sortie de l'oléoduc, le pétrole est acheminé par camion ou par train vers les centres de transformation et les centres de distribution.

Les produits de la forêt

La forêt est une autre ressource naturelle abondante au Canada. La façon la plus ancienne de transporter les billes de bois est de les faire flotter sur les lacs et les rivières. Cette méthode est encore en usage de nos jours. S'il y a un chemin de fer à proximité du lieu de coupe, on s'en servira pour le transport du bois à l'usine de transformation. On utilise aussi largement le camion.

Lorsque le bois est transformé, il est expédié par camion ou par train vers les grands centres de population. Les produits du bois sont très nombreux: papiers, meubles, bois de construction, etc. Le Québec, l'Ontario et la Colombie-Britannique sont les provinces qui produisent les plus grandes quantités de papier.

Les produits finis

La distribution des produits finis exige un réseau de transport bien articulé. Le bateau est surtout utilisé dans l'est du Canada sur les Grands Lacs et le fleuve Saint-Laurent. Le train et le camion servent partout. Ces divers moyens de transport se complètent parfois. Ainsi, le bateau est utilisé pour transporter les voitures japonaises jusqu'au Canada. Ensuite, le train est utilisé pour les acheminer vers les grandes villes. Finalement, le camion sert à effectuer la distribution des automobiles aux concessionnaires.

85 Convoi ferroviaire de transport des automobiles.

85

86 Récolte du blé près de Régina en Saskatchewan.

87 Déchargement du blé à un entrepôt.

88 Transport du blé par train.

89 Déchargement de wagons de blé dans un port des Grands Lacs.

90 Chargement du blé à bord d'un navire.

91 Arrivée d'un navire chargé de blé au port de Montréal.

92 Chargement d'un camion de farine à une minoterie.

LA ROUTE DU BLÉ

Le blé consommé dans la ville de Montréal provient des Prairies. À l'automne, lorsque le blé est récolté, il est placé dans des silos sur les fermes. L'agriculteur qui ne possède pas de silos transporte son blé à un entrepôt à grains localisé près d'une voie ferrée. Il utilise le camion pour effectuer ce transport vers l'entrepôt le plus près. De là, le blé est expédié par train vers l'est jusqu'au port de Thunder Bay situé sur le lac Supérieur. À Thunder Bay, on entrepose le blé dans d'immenses silos à grains avant de le transférer à bord de bateaux qui vont emprunter les Grands Lacs et le fleuve Saint-Laurent pour se rendre jusqu'à Montréal. En hiver, lorsque la Voie maritime du Saint-Laurent est fermée à cause des glaces, le blé est acheminé par train jusqu'à Montréal. Arrivé dans cette ville, le blé est transformé en farine et distribué par camion vers des centres de transformation ou de distribution. Le blé doit donc être acheminé par plusieurs moyens de transport et parcourir une distance approximative de 3000 kilomètres avant de parvenir dans la ville de Montréal.

9 LE COMMERCE EXTÉRIEUR

Que vendons-nous? À qui? Qu'achetons-nous? De qui?

A C T I V I T É S

JE RÉFLÉCHIS...

1. Selon toi, d'où viennent tous les biens (aliments, vêtements, appareils ménagers, etc.) consommés dans ta famille? Explique ce que tu en penses en donnant des exemples.

2. Aux dossiers 6 et 7, tu as découvert que le Canada produisait en grande quantité certaines matières premières (minerai de fer, gaz naturel, etc.) et certains produits manufacturés (papier, motoneiges, etc.). D'après toi, qui consomme tous ces biens? Partage ton opinion avec celle de tes camarades.

JE VÉRIFIE MES IMPRESSIONS...

3. À partir de l'étiquette ou d'une autre source d'information, identifie autour de toi cinq biens de consommation qui viennent de l'étranger.
De quels pays proviennent-ils?

4. À partir du graphique 95 et de la carte 98, trouve cinq exemples de biens de consommation que le Canada importe de pays étrangers. Identifie chacune de ces importations en précisant son pays d'origine.

5. À partir du graphique 94 et de la carte 98, trouve cinq exemples de biens de consommation que le Canada exporte vers d'autres pays. Identifie chacune de ces exportations en précisant son pays de destination.

6. Selon le tableau 97, avec quel pays le Canada fait-il le plus de commerce?

J'UTILISE MES DÉCOUVERTES...

7. Situe sur la carte muette **A-13** les pays d'origine de quelques importations et les lieux de destination de quelques exportations canadiennes.

8. Décris dans tes mots un aspect du mode de vie des Canadiens et des Canadiennes qui changerait si le Canada ne faisait plus de commerce avec les pays étrangers.

Les industries canadiennes fournissent une partie seulement des produits consommés dans notre pays. Il nous faut acheter aussi des produits de l'étranger parce que ces produits sont jugés moins chers ou de meilleure qualité ou tout simplement parce qu'on n'en trouve pas au Canada. Par ailleurs, les consommateurs des pays étrangers sont aussi attirés par les produits canadiens pour les mêmes raisons. Cette situation amène donc le Canada à faire du commerce avec d'autres pays. Les produits qui sont échangés d'un pays à un autre constituent, selon le cas, des exportations ou des importations.

93

EXPORTATION ET IMPORTATION

Une exportation, c'est un bien qui est produit dans un pays et qui est vendu à un autre pays. Par exemple, un des principaux produits d'exportation sont les céréales que l'on cultive dans les Prairies puisque le Canada en vend une bonne partie à des pays comme l'URSS et la Chine. Une exportation est donc un bien que l'on vend. Quant à une importation, c'est un bien qui provient de pays étrangers et que l'on introduit au Canada. Le café, par exemple, est une importation. En effet, à cause de la rigueur du climat, il n'y a aucune production de café dans notre pays. On doit donc le faire venir de pays producteurs tels que le Brésil ou la Colombie. Le cacao, le thé, les bananes et le coton sont autant de produits que l'on doit importer de l'extérieur puisque l'on ne peut les produire au Canada. On peut également importer des biens que l'on fabrique déjà ici. Par exemple, on importe du pétrole du Moyen-Orient même si on en extrait dans l'Ouest canadien. Une importation est donc un bien que l'on achète.

LES EXPORTATIONS CANADIENNES

Examinons maintenant les principales exportations canadiennes à l'aide du graphique 94. Pour l'année 1984, ce sont les ressources naturelles de même que leurs dérivés (produits semi-finis) qui ont dominé la valeur totale des exportations canadiennes. Les principales sont le pétrole, le gaz naturel, le charbon, le minerai de fer, le bois d'oeuvre, la pâte de bois, le papier, les métaux précieux, l'aluminium et l'électricité.

Les produits alimentaires sont d'autres biens que l'on exporte à l'étranger. Les principaux sont les céréales telles que le blé et l'orge, les viandes, les poissons, les fruits de mer ainsi que les légumes.

93 Cargo soviétique amarré au port de St. John's, Terre-Neuve.

94 Principales exportations canadiennes.

95 Principales importations canadiennes.

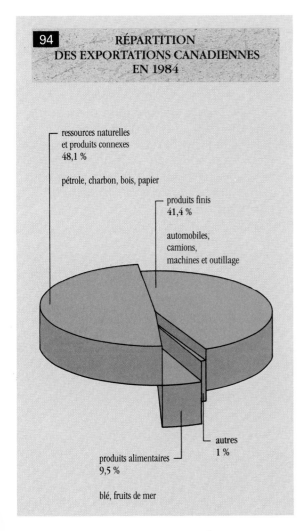

94 RÉPARTITION DES EXPORTATIONS CANADIENNES EN 1984

ressources naturelles et produits connexes
48,1 %

pétrole, charbon, bois, papier

produits finis
41,4 %

automobiles,
camions,
machines et outillage

autres
1 %

produits alimentaires
9,5 %

blé, fruits de mer

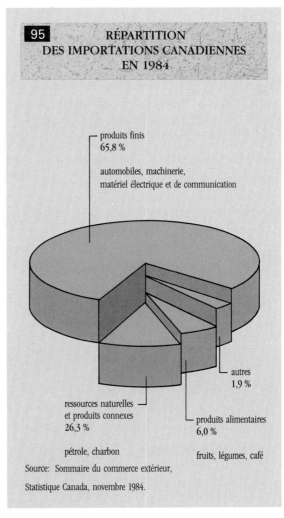

95 RÉPARTITION DES IMPORTATIONS CANADIENNES EN 1984

produits finis
65,8 %

automobiles, machinerie,
matériel électrique et de communication

autres
1,9 %

ressources naturelles
et produits connexes
26,3 %

pétrole, charbon

produits alimentaires
6,0 %

fruits, légumes, café

Source: Sommaire du commerce extérieur,
Statistique Canada, novembre 1984.

96 Déchargement de voitures japonaises au port de Vancouver.

97 Principaux partenaires commerciaux du Canada.

Les produits finis occupent également une large part dans nos exportations. Les principaux comprennent le matériel de transport tel que les automobiles, les camions, les pièces ainsi que les machines et l'outillage de toutes sortes pour les nombreux secteurs de l'industrie. Le matériel de communication fait aussi partie de la famille des produits finis.

LES IMPORTATIONS CANADIENNES

Regardons maintenant les principales importations canadiennes (graphique 95). Ce sont les produits finis qui constituent la catégorie la plus importante. Le matériel de transport (automobiles, pièces, tracteurs, etc.) et les machines (machines à forer les mines et les puits de pétrole, presses hydrauliques, etc.) appartiennent à cette catégorie. Nous importons également du matériel électronique et de communication comme des ordinateurs, des téléviseurs et des magnétoscopes. Le pétrole et le charbon constituent les principales matières brutes importées. Finalement, les plus importants produits alimentaires qui entrent au pays sont les fruits et les légumes frais, le café, le sucre et le cacao.

LES PAYS COMMERÇANT AVEC LE CANADA

Quels sont les principaux partenaires commerciaux de notre pays? Les États-Unis sont depuis longtemps le plus important partenaire commercial du Canada (tableau 97). En effet, plus de 70% des biens que nous exportons sont achetés par ce pays alors que nos importations en proviennent dans la même proportion. La proximité des deux pays favorise et facilite les échanges entre ces derniers. Les principales exportations canadiennes vers les États-Unis sont les suivantes: le pétrole, le gaz naturel, les automobiles, les pièces d'automobile, le papier d'imprimerie, le bois d'oeuvre, l'électricité et l'aluminium. Nous importons de notre voisin, du charbon, du pétrole, des produits chimiques, du matériel de transport tel que les automobiles et les pièces d'automobile ainsi que plusieurs fruits et légumes. Les échanges entre nos deux pays ont atteint 154 milliards de dollars en 1984.

Le second pays avec lequel le Canada commerce le plus est le Japon qui ne possède pas d'importantes ressources naturelles. C'est pour cette raison qu'on y exporte principalement du charbon, du bois d'oeuvre, de la pâte de bois de même que certains minerais tels que le cuivre et le fer ainsi que beaucoup de céréales de toutes sortes. Nous importons de ce pays des produits finis tels que des automobiles, des téléviseurs, des magnétoscopes et bien d'autres appareils électriques et électroniques.

96

97 **RÉPARTITION GÉOGRAPHIQUE DU COMMERCE EXTÉRIEUR CANADIEN**
(année-type 1983)

Régions et pays	EXPORTATIONS (total: 90 963 910 000 $)
URSS *et Europe orientale*	2 122 471 000 $
Moyen-Orient Arabie Saoudite	1 445 653 000 $
Afrique Algérie, Afrique du Sud	949 831 000 $
Asie Japon, Chine, Corée du Sud	8 706 172 000 $
Océanie Australie	609 971 000 $
Amérique du Sud Brésil, Vénézuéla	1 488 751 000 $
Amérique Centrale et Antilles Mexique, Cuba	1 445 497 000 $
États-Unis	66 332 528 000 $
Europe occidentale Royaume-Uni, RFA, Pays-Bas, Belgique, Luxembourg, France	7 834 806 000 $

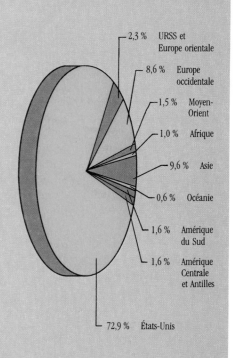

2,3 % URSS et Europe orientale
8,6 % Europe occidentale
1,5 % Moyen-Orient
1,0 % Afrique
9,6 % Asie
0,6 % Océanie
1,6 % Amérique du Sud
1,6 % Amérique Centrale et Antilles
72,9 % États-Unis

Régions et pays	IMPORTATIONS (total: 75 586 566 000 $)
URSS *et Europe orientale*	250 095 000 $
Europe occidentale Royaume-Uni, RFA, France, Italie	7 526 609 000 $
Moyen-Orient Iran, Égypte, Arabie Saoudite, Israël	864 863 000 $
Afrique Afrique du Sud, Nigéria, Algérie	677 684 000 $
Océanie Australie, Nouvelle- Zélande	521 188 000 $
Amérique du Sud Vénézuéla, Brésil	2 047 003 000 $
Amérique Centrale et Antilles Mexique	1 765 030 000 $
États-Unis	54 103 299 000 $
Asie Japon, Taïwan, Hong Kong Corée du Sud	7 827 892 000 $

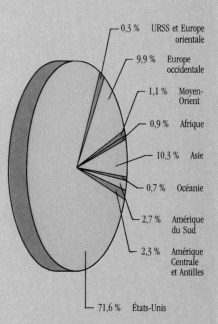

0,3 % URSS et Europe orientale
9,9 % Europe occidentale
1,1 % Moyen-Orient
0,9 % Afrique
10,3 % Asie
0,7 % Océanie
2,7 % Amérique du Sud
2,3 % Amérique Centrale et Antilles
71,6 % États-Unis

Seuls sont mentionnés les pays qui occupent,
dans l'ordre, les premiers rangs.
Source: *Annuaire du Canada 1985.*

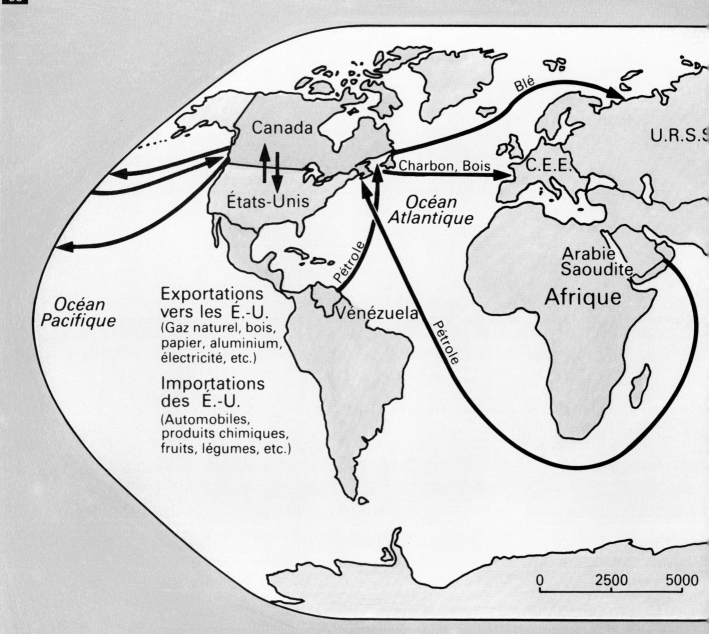

Canada

États-Unis

Exportations
vers les É.-U.
(Gaz naturel, bois,
papier, aluminium,
électricité, etc.)

Importations
des É.-U.
(Automobiles,
produits chimiques,
fruits, légumes, etc.)

*Océan
Pacifique*

Blé

Charbon, Bois

*Océan
Atlantique*

Pétrole

Pétrole

Vénézuela

C.E.E.

U.R.S.S.

Arabie
Saoudite

Afrique

0   2500   5000

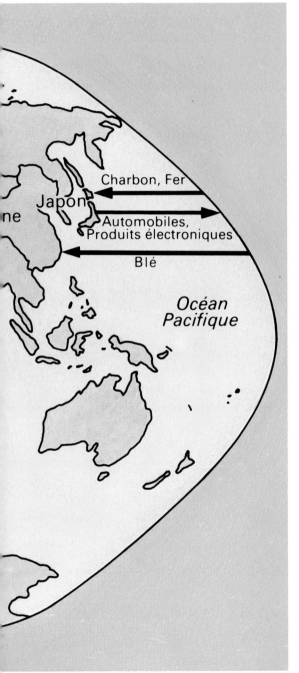

La Communauté économique européenne (CEE), qui est une association commerciale de douze pays d'Europe, est le troisième partenaire avec qui le Canada commerce le plus. De ces douze pays, c'est le Royaume-Uni qui domine les échanges avec le Canada. Les importations de textile en provenance de certains pays comme Taïwan, la Corée du Sud et Hong Kong ont augmenté depuis quelques années. Les produits qui arrivent de ces pays sont bon marché et c'est pourquoi notre pays en achète en grande quantité. Les liens entre le Canada et quelques pays exportateurs de pétrole comme le Vénézuela et le Mexique sont aussi importants.

Le bateau est le principal moyen de transport utilisé pour les échanges commerciaux puisque les océans Atlantique et Pacifique séparent le Canada des autres pays. Le train et le camion sont utilisés seulement lors d'échanges avec les États-Unis. On se sert aussi de l'avion, tout particulièrement pour la marchandise périssable ou de grande valeur.

98 Principaux échanges commerciaux du Canada avec les autres pays.

ACTIVITÉ DE SYNTHÈSE

Attention! Tu peux te référer aux illustrations et aux textes des dossiers 6 à 9 pour réaliser l'activité de synthèse.

Avec deux ou trois camarades, construis, sur un grand carton, un tableau comme celui-ci:

Les activités économiques des Canadiens et des Canadiennes	
Les ressources naturelles	Les productions
Les transports	Le commerce extérieur

Complète ensuite ton tableau en dessinant ou en collant des images caractéristiques de l'activité économique du Canada.

Présente ton montage à la classe en expliquant les liens que tu vois entre certains éléments de ton tableau. Par exemple, entre:
- une ressource naturelle et une production;
- une production et le commerce extérieur;
- un moyen de transport et une production.

Explique aussi dans tes mots comment les éléments représentés sur ton tableau permettent aux Canadiens et aux Canadiennes de satisfaire leurs différents besoins.

BILAN D'APPRENTISSAGE

Attention! Tu peux te référer aux illustrations et aux textes des dossiers 6 à 9 pour réaliser le bilan d'apprentissage. Cependant, tu dois faire appel uniquement à ton jugement et à ta mémoire pour faire les activités accompagnées de ce symbole •.

DOSSIER 6

• **1.** Identifie les principales ressources naturelles du Canada parmi ces éléments:

a) pétrole;
b) motoneiges;
c) eau;
d) bananes;
e) bauxite;
f) gaz naturel;
g) forêt;
h) sol fertile;
i) papier;
j) poissons.

• **2.** Dans la liste précédente, trouve deux ressources naturelles qui ne se trouvent pas en quantité importante au Québec.

• **3.** Dans la liste du numéro 1, trouve deux ressources naturelles non renouvelables.

DOSSIER 7

1. Associe chaque production à la matière première qui entre dans sa fabrication.

PRODUCTION	MATIÈRE PREMIÈRE
a) Automobile	1. Bauxite
b) Papier	2. Pétrole
c) Aluminium	3. Blé
d) Essence	4. Fer
e) Pain	5. Bois

Pour les numéros 2 à 6, choisis la province où l'on fabrique en très grande quantité le produit indiqué.

2. Aluminium
a) Manitoba; b) Terre-Neuve; c) Québec.

3. Automobiles
a) Ontario; b) Colombie-Britannique; c) Nouveau-Brunswick.

4. Filets de morue
a) Alberta; b) Nouvelle-Écosse; c) Ontario.

5. Viande de boeuf
   a) Île-du-Prince-Édouard;   c) Alberta.
   b) Colombie-Britannique;

6. Contre-plaqué
   a) Colombie-Britannique;   c) Île-du-Prince-Édouard.
   b) Saskatchewan;

DOSSIER 8

1. À l'aide des cartes du dossier 8, choisis le moyen de transport le plus approprié pour transporter du minerai de fer entre Port-Cartier (Québec) et Sorel (Québec):
   a) l'avion;
   b) le camion;
   c) le bateau.

2. À l'aide des cartes du dossier 8, identifie la voie maritime qui permet aux navires océaniques de se rendre jusqu'aux Grands Lacs.

3. D'après toi, quel itinéraire suit la morue fraîche pêchée près de Terre-Neuve avant d'arriver à Montréal? À l'aide des cartes du dossier 8, décris cet itinéraire en nommant les moyens de transport et les voies de communication qui te semblent les plus appropriés.

DOSSIER 9

• 1. Parmi les exemples suivants, lesquels font partie des importations canadiennes?
   a) Automobiles   d) Pétrole
   b) Blé   e) Aluminium
   c) Téléviseurs

• 2. Parmi les exemples suivants, lesquels font partie des exportations canadiennes?
   a) Oranges   d) Poissons et fruits de mer
   b) Papier   e) Coton
   c) Électricité

3. Nomme deux pays où le Canada exporte du blé.

4. Nomme deux pays d'où le Canada importe du pétrole.

5. Avec quel pays le Canada fait-il le plus de commerce?

LES CANADIENS ET LES
D'HIER À

CANADIENNES AUJOURD'HUI

Une nouvelle exploration!

Ce que j'en sais...
Ce que j'en pense...

L'an dernier, en 5ᵉ année, tu as exploré la Nouvelle-France. Résume dans tes mots ce que tu as découvert sur la fondation des premiers établissements français dans la vallée du Saint-Laurent aux 17ᵉ et 18ᵉ siècles. Observe ensuite une carte du Canada actuel. Qu'est-ce qui s'est passé d'après toi, pour que la Nouvelle-France cesse d'exister et fasse place au Canada tel qu'on le connaît aujourd'hui?

Ce que je veux explorer...

Quels renseignements aimerais-tu obtenir pour mieux comprendre la fin de la Nouvelle-France et la formation du Canada actuel? Quels moyens prévois-tu prendre pour trouver des réponses à tes questions?

La FONDATION ET L'ÉVOLUTION DU CANADA

10 LA CONQUÊTE DE LA NOUVELLE-FRANCE

Comment s'est déroulée la bataille de Québec?

A C T I V I T É S

JE RÉFLÉCHIS...

1. Observe les cartes 100 et 101. Selon toi, pourquoi les Français et les Anglais ont-ils construit autant de forts vers 1756?

2. Observe le tableau 99. Selon toi, en cas de guerre entre la Nouvelle-Angleterre et la Nouvelle-France, qui gagnerait? Justifie ta réponse.

3. As-tu déjà entendu parler de la bataille qui a eu lieu à Québec, sur les Plaines d'Abraham, durant une longue guerre qui a opposé les Français et les Anglais au milieu du 18ᵉ siècle? D'après toi, comment s'est déroulée cette bataille?

JE VÉRIFIE MES IMPRESSIONS...

4. À l'aide du texte et des illustrations de ce dossier, rassemble toutes les informations nécessaires pour expliquer comment les Anglais se sont emparés de la ville de Québec en 1759.

5. À partir de la ligne du temps 113, trouve l'année et le siècle de la conquête de la Nouvelle-France par l'Angleterre.

6. Selon la ligne du temps 113, combien d'années environ la Nouvelle-France a-t-elle existé?

J'UTILISE MES DÉCOUVERTES...

7. Situe sur la ligne du temps B-1:
   - le début de la Nouvelle-France;
   - la prise de Québec par les Anglais;
   - la conquête de la Nouvelle-France.

8. Raconte dans tes mots comment s'est déroulée la prise de Québec par les Anglais en 1759.
   Dans ton récit, tu devras mentionner les points suivants:
   - les troupes en présence;
   - le commandant de chaque troupe;
   - la stratégie utilisée par chaque commandant;
   - les armes utilisées;
   - le lieu de la bataille rangée;
   - le résultat de la bataille.
   Communique tes découvertes à l'aide du moyen qui, d'après toi, convient le mieux (maquette, carte, sketch, texte illustré, conférence, etc.).

ux 17ᵉ et 18ᵉ siècles, des milliers d'Européens traversent l'Atlantique et s'installent en Amérique du Nord. Des Français s'établissent en Acadie, en Louisiane et dans la vallée du Saint-Laurent, des Espagnols vont en Floride, au Texas et sur la côte du Pacifique et des Anglais fondent des **colonies** sur la côte atlantique. Treize de ces colonies anglaises forment la Nouvelle-Angleterre. Les établissements français, quant à eux, forment la Nouvelle-France.

DEUX COLONIES RIVALES

Les habitants de la Nouvelle-France et de la Nouvelle-Angleterre se disputent périodiquement pour obtenir le contrôle du commerce des fourrures et la propriété des territoires de chasse et de pêche. Dans ce climat de rivalité, ils construisent, de 1713 à 1757, une série de forts près du lac Champlain, à l'est des Grands Lacs et dans la vallée de l'Ohio.

Les colonies rivales s'affrontent durement à partir de 1756 lors de la guerre de Sept Ans qui oppose l'Angleterre à la France, tant en Europe qu'en Amérique du Nord. Durant cette guerre, les habitants de la Nouvelle-Angleterre, soutenus par l'Angleterre, vont tenter de conquérir la Nouvelle-France.

LES FORCES DE CHAQUE COLONIE

Au début de la guerre de Sept Ans, les treize colonies anglaises comptent environ un million et demi d'habitants. Parmi ceux-ci, près de 90 000 hommes, munis d'excellentes armes, sont prêts à attaquer les Français du Canada avec l'aide militaire et financière de l'Angleterre. Quant à la Nouvelle-France, qui compte environ 65 000 habitants, elle a une armée d'à peu près 20 000 combattants sous le commandement du gouverneur Vaudreuil et du général Montcalm. Mais ceux-ci obtien-

---

Colonie: *établissement fondé par un pays en territoire étranger, développé et dirigé dans l'intérêt du pays fondateur.*

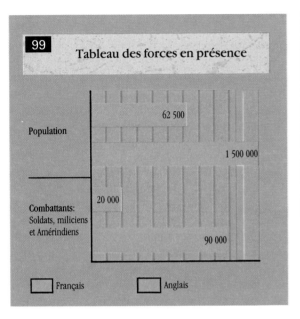

99 Tableau des forces en présence

Population

62 500

1 500 000

Combattants:
Soldats, miliciens
et Amérindiens

20 000

90 000

☐ Français   ☐ Anglais

nent très peu d'aide de la France qui a besoin
de tous ses hommes pour combattre en
Europe.

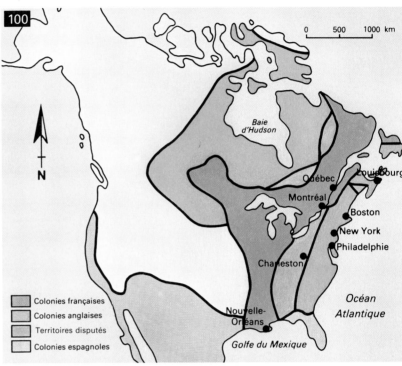

100

Baie
d'Hudson

Québec   Louisbourg
Montréal
Boston
New York
Philadelphie
Charleston

Nouvelle-
Orléans

Golfe du Mexique

Océan
Atlantique

0   500   1000 km

N

☐ Colonies françaises
☐ Colonies anglaises
☐ Territoires disputés
☐ Colonies espagnoles

99 Forces françaises et
forces anglaises vers
1756.

100 Partage de
l'Amérique du Nord vers
1750.

101 Forts français et
forts anglais vers 1756.

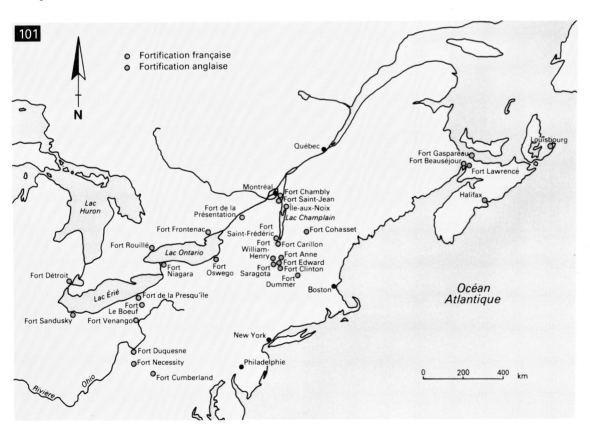

101

N

○ Fortification française
○ Fortification anglaise

Québec

Lac
Huron

Montréal   Fort Chambly
Fort Saint-Jean
Île-aux-Noix
Fort de la   *Lac Champlain*
Présentation
Fort Frontenac   Fort   Fort Cohasset
Saint-Frédéric
Fort Rouillé   Fort Carillon
Lac Ontario   Fort
William-   Fort Anne
Fort   Henry   Fort Edward
Niagara   Fort   Fort   Fort Clinton
Oswego   Saragota
Fort   Fort
Dummer
Fort Détroit   Boston

Lac Érié
Fort de la Presqu'île
Fort
Le Boeuf
Fort Sandusky   Fort Venango

New York

Fort Duquesne
Fort Necessity   Philadelphie
Fort Cumberland

Rivière   Ohio

Fort Gaspareau   Louisbourg
Fort Beauséjour
Fort Lawrence

Halifax

Océan
Atlantique

0   200   400   km

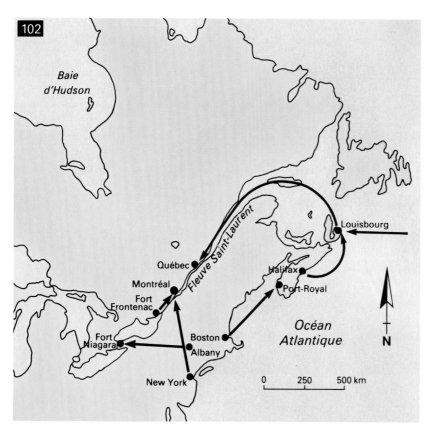

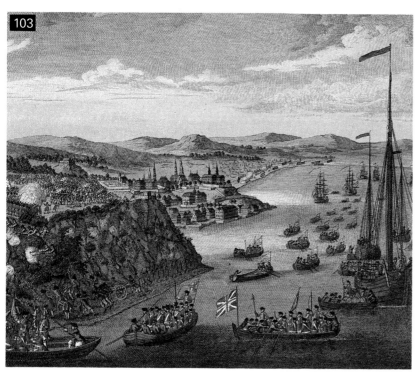

LA PERTE DE QUÉBEC

Les combattants

Entre 1756 et 1758, les Français du Canada remportent plusieurs victoires. Toutefois, en 1758, l'Angleterre envoie en Amérique 15 000 matelots et 13 000 soldats sous le commandement de James Wolfe et de Jeffrey Amherst. Dès lors, les Anglais prennent le dessus sur les Français.

En juin 1759, la flotte anglaise décide d'attaquer la ville de Québec. Le 23 juin, des navires ayant à leur bord 30 000 marins et 9000 soldats, jettent l'ancre au large de l'île d'Orléans. Le commandement des troupes de terre est confié à James Wolfe. Craignant que la ville ne soit assiégée, Montcalm envoie à Montréal et à Trois-Rivières les habitants incapables de combattre. Les 16 000 combattants qui restent à Québec s'affairent à fortifier la ville. Montcalm veut entraver le débarquement des Anglais sur la rive nord du Saint-Laurent pour les obliger à lutter à partir de la rive sud. De cette façon, le fleuve séparera les deux ennemis. Pour réaliser son projet, Montcalm installe son armée à Beauport, celle de Lévis sur la rive gauche de la rivière Montmorency et celle de Vaudreuil à l'embouchure de la rivière Saint-Charles. Puis il charge les hommes de Bougainville de patrouiller la falaise qui surplombe l'Anse au Foulon, à l'ouest de Québec.

Le siège de la ville

Le siège de Québec commence au début du mois de juillet 1759 lorsque certaines troupes anglaises s'installent à la pointe de Lévy pour bombarder la ville. Pendant deux mois, les bombardements quotidiens font des ravages, démolissant de nombreuses habitations. Wolfe place ses troupes plus à l'ouest sur la rive sud afin de couper les ravitaillements provenant de Montréal et de Trois-Rivières.

La bataille des Plaines d'Abraham

Au début du mois de septembre, Wolfe décide de traverser le fleuve et d'escalader la falaise de l'Anse au Foulon. Pour se débarasser des patrouilleurs de Bougainville, il les

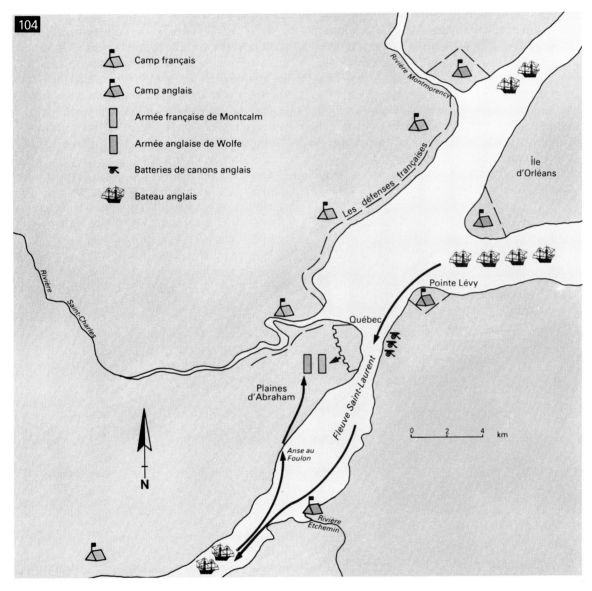

104

- Camp français
- Camp anglais
- Armée française de Montcalm
- Armée anglaise de Wolfe
- Batteries de canons anglais
- Bateau anglais

Rivière Montmorency

Les défenses françaises

Île d'Orléans

Rivière Saint-Charles

Pointe Lévy

Québec

Plaines d'Abraham

Fleuve Saint-Laurent

0   2   4   km

Anse au Foulon

Rivière Etchemin

N

102 Routes d'invasions de la Nouvelle-France.

103 Le siège de Québec

104 Position des forces françaises et des forces anglaises lors du siège de Québec.

105 Débarquement des Anglais à la pointe de Lévy.

105

attire vers l'est, en déplaçant quelques-uns de ses navires. Dans la nuit du 12 au 13 septembre 1759, la voie est libre et près de 5000 soldats anglais grimpent la falaise et atteignent les Plaines d'Abraham. Au lever du jour, Montcalm aperçoit les Anglais et décide de passer tout de suite à l'attaque avec ses 3500 hommes, sans attendre l'appui des troupes de Vaudreuil et de Lévis.

106 Portrait du général Wolfe.

107 Portrait du général Montcalm.

108 Bâtiments de Québec détruits par les bombardements anglais.

109 Fusil utilisé par les soldats français.

110 Capitulation de Montréal en 1760.

111 Artilleurs français du 18ᵉ siècle.

112 Soldats anglais du 18ᵉ siècle.

Les deux armées se livrent une bataille rangée à la manière européenne. Mais les Français, indisciplinés, sont rapidement déroutés et prennent la fuite. En moins d'une demi-heure, les Anglais ont remporté un sanglant combat. Près de 1200 soldats français sont blessés et 200 périssent alors qu'il y a seulement 60 morts et 600 blessés du côté anglais. Wolfe meurt au combat, Montcalm succombe à ses blessures dès le lendemain.

La capitulation

Les troupes de Lévis et de Vaudreuil, arrivées trop tard pour la bataille des Plaines d'Abraham, se réfugient au fort Jacques-Cartier, près de Québec. Il ne reste plus dans la ville qu'une petite garnison de soldats qui a reçu l'ordre de capituler dès que les Anglais reprendraient l'offensive. Le 18 septembre 1759, Québec capitule et les Anglais prennent possession de la ville. Malgré cette défaite, la Nouvelle-France existe toujours. Lévis, maintenant à la tête des armées, voudrait bien reprendre Québec. Mais des navires venant d'Angleterre l'obligent à retraiter au printemps 1760.

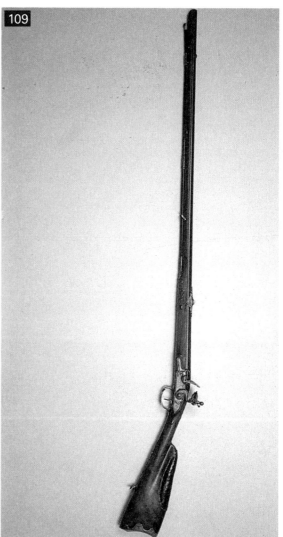

LA NOUVELLE-FRANCE DEVIENT
POSSESSION ANGLAISE

En septembre 1760, trois armées anglaises se dirigent vers Montréal. Alors qu'elles s'apprêtaient à assiéger la ville, Montréal capitule sans aucun échange de coup de feu. Désormais, seule une victoire de la mère-patrie en Europe peut sauver la Nouvelle-France. Mais en 1763, le traité de Paris, qui met fin à guerre de Sept Ans, confirme le triomphe de l'Angleterre. La France lui cède tout le territoire de la Nouvelle-France à l'exception des îles Saint-Pierre et Miquelon, près de Terre-Neuve. Encore aujourd'hui, ces deux îles sont françaises.

110

111

112

113

2000

20ᵉ s.

1901
1900

19ᵉ s.

1801
1800

1760
Conquête
de la
Nouvelle-
France

18ᵉ s.

1759
Bataille
de Québec

1701
1700

17ᵉ s.

1601
1600

16ᵉ s.

1534
Naissance
de la
Nouvelle-
France

1501
1500

15ᵉ s.

1401

11 DES ANGLAIS S'ÉTABLISSENT AU QUÉBEC AU 18ᵉ SIÈCLE

Qui étaient-ils? Pourquoi sont-ils venus?

A C T I V I T É S

JE RÉFLÉCHIS...

1. Connais-tu des personnes d'origine anglaise dans ton milieu? Selon toi, depuis quand y a-t-il des Anglais qui habitent le territoire actuel du Québec?

2. Qu'est-ce qui a amené les premiers Anglais à s'installer au Québec? Discutes-en avec tes camarades.

JE VÉRIFIE MES IMPRESSIONS...

3. Mentionne deux événements qui ont amené des personnes d'origine anglaise à s'établir sur le territoire du Québec actuel au 18ᵉ siècle.

4. À l'aide du texte et des illustrations de ce dossier, recueille les informations nécessaires pour expliquer l'arrivée des Loyalistes dans la province de Québec.

5. Recherche dans ta région ou dans le Québec d'aujourd'hui, des traces encore visibles de la venue des Loyalistes au 18ᵉ siècle.

J'UTILISE MES DÉCOUVERTES...

6. Identifie sur la carte muette B-2 les régions du Québec où se sont établis les Loyalistes au 18ᵉ siècle.

7. Décris dans tes mots l'arrivée des Loyalistes dans la province de Québec.
   Dans ta description, tu devras traiter des points suivants:
   - le pays d'origine des Loyalistes;
   - les motifs qui les ont amenés à quitter leur pays;
   - le siècle où ils sont arrivés;
   - les endroits où ils se sont installés;
   - les traces qu'ils ont laissées dans le Québec d'aujourd'hui.
   Ta description peut être faite oralement ou par écrit à l'aide d'une carte, d'un texte illustré ou d'un autre moyen approprié.

vant 1760, le territoire actuel du Québec est occupé par une population d'origine amérindienne, inuit ou française. Les Amérindiens et les Inuit y vivent déjà depuis des milliers d'années et les Français du Canada depuis environ cent cinquante ans. Avec la conquête de la Nouvelle-France par l'Angleterre en 1760 et la guerre de l'Indépendance américaine entre 1775 et 1783, un autre groupe ethnique, les Anglais, vient s'établir au Québec.

LES VAINQUEURS S'INSTALLENT AU QUÉBEC

Dès 1760, près de 3500 soldats et administrateurs anglais s'installent sur le territoire nouvellement conquis, qui compte alors près de 65 000 habitants d'origine française. L'Angleterre met en place des gouvernements dirigés par des militaires à Québec, à Montréal et à Trois-Rivières puis elle remplace les administrateurs français par des administrateurs anglais. Des aventuriers et des commerçants d'Angleterre et de Nouvelle-Angleterre immigrent aussi au Québec. Ils s'emparent du commerce des fourrures, et, en quelques années, réussissent à contrôler toute la vie économique du Québec.

En 1763, suite à la signature du traité de paix (traité de Paris) entre la France et l'Angleterre, la population anglaise du Québec diminue considérablement car la majorité des soldats retournent en Angleterre. Sur une population d'environ 66 000 habitants, il ne reste plus que quelques centaines d'Anglais, installés surtout dans les villes. L'immigration anglaise au Québec demeure donc faible jusqu'à la guerre de l'Indépendance américaine qui éclate en 1775 entre l'Angleterre et la Nouvelle-Angleterre.

L'ARRIVÉE DES LOYALISTES

Plusieurs colons de la Nouvelle-Angleterre s'opposent à l'idée d'indépendance des treize colonies d'Amérique et restent **loyaux** à l'Angleterre. C'est pour cette raison qu'on les a appelés *Loyalistes*. Lorsque la victoire des

---

Loyaux: *fidèles.*

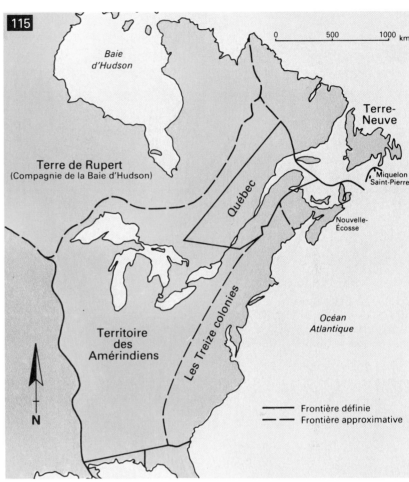

colons favorables à l'indépendance est confirmée en 1783, près de 100 000 Loyalistes quittent les nouveaux États-Unis. Ils émigrent en Angleterre, dans les Antilles et aussi au Canada, qui en reçoit environ 35 000.

114 Campement de Loyalistes à Johnstown sur le Saint-Laurent.

115 L'Amérique du Nord en 1763.

116 Soldats anglais dans Québec après la capitulation.

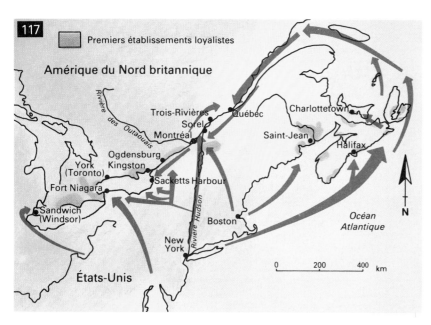

117 Premiers établissements loyalistes

Amérique du Nord britannique

Rivière des Outaouais

Trois-Rivières
Québec
Sorel
Montréal
Charlottetown
Saint-Jean
Halifax
Ogdensburg
Kingston
York (Toronto)
Fort Niagara
Sackets Harbour
Sandwich (Windsor)
Rivière Hudson
Boston
New York
Océan Atlantique
N

États-Unis

0   200   400   km

La majorité des Loyalistes qui viennent au Canada s'installent en Ontario et dans les provinces de l'Atlantique. Le Québec n'en accueille que 6000 environ. Le gouvernement britannique leur donne des terres en récompense de leur fidélité. Mais ils ne peuvent pas s'y établir immédiatement car **l'arpentage** n'en est pas encore effectué. Le gouvernement de la province de Québec, contrôlé par les Anglais, construit alors des campements à Sorel, à Yamachiche, à Saint-Jean et à Chambly pour y abriter les nouveaux venus. Les Loyalistes vivent dans des tentes ou des cabanes inconfortables et se nourrissent presque exclusivement de pois et de porc. Une partie d'entre eux décident de demeurer dans ces villages, mais la majorité désirent aller dans d'autres régions du Québec.

Arpentage: *action de mesurer.*

118

117 Lieux d'immigration des Loyalistes au 18ᵉ siècle.

118 Loyalistes en route vers un nouveau pays.

119 À son arrivée, le colon loyaliste doit se construire un abri et défricher son lot.

120 Avec les années, il apporte des améliorations à sa ferme.

En 1784, deux cents familles loyalistes s'établissent en Gaspésie, principalement dans la baie des Chaleurs et dans la baie de Gaspé. D'autres Loyalistes s'installent dans l'Outaouais et, quelques années plus tard, un dernier groupe entreprend la colonisation des Cantons-de-l'Est.

Modes de vie

La plupart des Loyalistes venus au Québec sont des agriculteurs. À leur arrivée, ils ne possèdent rien, sauf quelques vêtements ou menus objets qu'ils ont pu apporter avec eux. Ils pratiquent la religion protestante et demeurent très attachés à leur mère-patrie, l'Angleterre, qui leur apporte beaucoup d'aide pour soutenir leur effort de colonisation.

Pour faciliter leur établissement, l'Angleterre fournit aux Loyalistes des semences, de la nourriture, des vêtements, des outils, des armes et des instruments agricoles. Néanmoins, les premières années sont très difficiles car tout doit être fait. Les Loyalistes doivent construire leur maison et leur grange,

et ils doivent défricher leurs terres avant d'entreprendre la culture des grains et des légumes. Ces travaux se font dans l'isolement puisque dans ces régions éloignées des villes, il n'y a ni églises, ni écoles, ni magasins et que les chemins pour s'y rendre sont en construction.

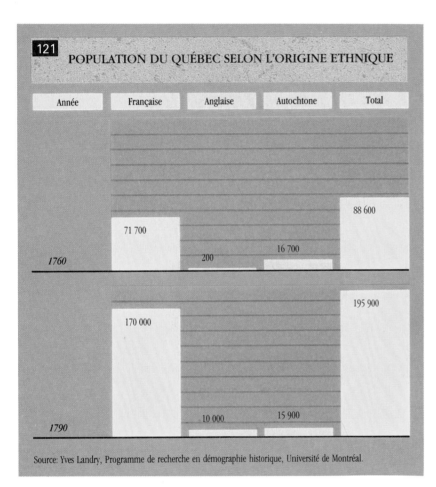

121 POPULATION DU QUÉBEC SELON L'ORIGINE ETHNIQUE

Année	Française	Anglaise	Autochtone	Total
1760	71 700	200	16 700	88 600
1790	170 000	10 000	15 900	195 900

Source: Yves Landry, Programme de recherche en démographie historique, Université de Montréal.

121 Principaux groupes ethniques du Québec en 1760 et 1790.

122 Division des lots dans un canton.

TRACES DU PEUPLEMENT ANGLAIS

De nos jours, on retrouve des concentrations de population anglaise dans les régions autrefois colonisées par les Loyalistes, soit l'Outaouais, la Gaspésie et les Cantons-de-l'Est. Cependant, la grande majorité des Québécois anglophones habitent la région de Montréal. Les immigrants d'origine anglaise venus au Québec ont gardé leurs institutions politiques (mode d'élection, règles de fonctionnement du Parlement), calquées sur celles de l'Angleterre.

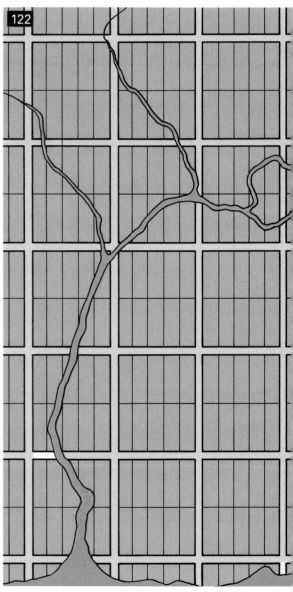

La venue massive des Loyalistes au Québec cause quelques problèmes car ces nouveaux arrivants ne parlent pas la même langue que la population d'origine française qui y vit depuis le début du 17e siècle. De plus, ils ne pratiquent pas la même religion et ne sont pas régis par les mêmes lois. C'est sans doute ce qui explique que les Loyalistes préfèrent s'installer dans des territoires nouveaux et laisser aux Canadiens français les terres largement défrichées de la vallée du Saint-Laurent.

La population du Québec a augmenté beaucoup de 1760 à 1790. Il faut attribuer cette hausse autant à l'arrivée des Loyalistes qu'à la forte natalité des Canadiens français. Ainsi, en 1790, il y a environ 195 900 habitants dans le Québec d'alors. Parmi ceux-ci, on compte environ 10 000 Anglais, qui sont les ancêtres des Canadiens anglais du Québec actuel.

123

La façon anglaise de diviser les terres au 18e siècle était bien différente de la façon française. Les nouveaux territoires ouverts à la colonisation anglaise ont été divisés en cantons. Un canton est une étendue de terrain généralement carrée d'environ 16 kilomètres sur 16 kilomètres. Il est tracé sans tenir compte du relief et des étendues d'eau. Le canton ne ressemble en rien à la seigneurie à l'époque de la colonisation française. Dans la seigneurie, les terres étaient plutôt divisées en bandes étroites et alignées perpendiculairement à une étendue d'eau afin d'en faciliter l'accès au plus grand nombre de personnes possible.

En s'établissant dans ce qui est aujourd'hui le Québec, la population anglaise a apporté avec elle un nouveau style de maison. Au 18e siècle, la maison d'influence anglaise est généralement construite en bois ou en pierre. Elle comporte deux ou trois étages et sa structure est imposante. Vue de l'extérieur, cette maison semble austère car aucune ornementation ne l'agrémente. Il subsiste encore aujourd'hui quelques-unes de ces maisons. On en a aussi construit d'autres en s'inspirant de cette architecture.

Enfin, plusieurs noms de lieux de l'Outaouais, de la Gaspésie et des Cantons-de-l'Est évoquent la colonisaiton anglaise du 18e siècle. Certains rappellent le nom de personnages politiques (Carleton, Aylmer), de colonisateurs (Knowlton, Sawyerville) ou bien le nom des villes dont ils étaient originaires (New-Carlisle, New-Richmond) ou encore leur attachement à l'Angleterre (Buckingham, rue King).

123 Maison monumentale anglaise du 18e siècle.

12 LA CONFÉDÉRATION

Comment est né le Canada actuel?

A C T I V I T É S

JE RÉFLÉCHIS...

1. Le Canada actuel est formé de dix provinces et de deux territoires. D'après toi, ces provinces et ces territoires ont-ils toujours fait partie du Canada? As-tu une idée de la façon dont le Canada actuel s'est formé?
   Discutes-en avec tes camarades.

JE VÉRIFIE MES IMPRESSIONS...

2. À partir de la ligne du temps 131, trouve le siècle et l'année de fondation du Canada actuel.

3. À partir de la carte 129, identifie les quatre provinces qui formaient le Canada actuel à ses débuts.

4. À partir de la ligne du temps 131, calcule le nombre d'années qui se sont écoulées entre:
   a) la fondation de la Nouvelle-France et aujourd'hui;
   b) la fondation du Canada actuel et aujourd'hui.

5. Recherche en quelle année a été fondée la localité que tu habites. Ta localité est-elle plus vieille ou plus jeune que le Canada actuel?

6. À partir de la carte 132, donne l'année où les provinces suivantes se sont jointes à la Confédération canadienne:
   a) Manitoba   d) Alberta
   b) Colombie-Britannique   e) Saskatchewan
   c) Île-du-Prince-Édouard   f) Terre-Neuve

J'UTILISE MES DÉCOUVERTES...

7. Situe sur une ligne du temps l'année de fondation de ta localité, l'année de fondation du Canada et l'année en cours.
   Demande à l'enseignant ou l'enseignante de ta classe de te fournir cette ligne du temps.

8. Situe sur la carte muette **B-3** les provinces et les territoires du Canada en précisant l'année où chaque province est entrée dans la Confédération.

9. Explique dans tes mots en quoi le Canada actuel est différent de celui de 1867.

10. Résume dans tes mots les étapes de formation du Canada actuel.

u 19e siècle, l'Angleterre possède plusieurs colonies en Amérique du Nord. Il y a celle de la Nouvelle-Écosse, du Nouveau-Brunswick, de l'Île-du-Prince-Édouard, de Terre-Neuve, de la Colombie-Britannique. Une sixième, appelée Canada-Uni, s'étend au sud de l'Ontario et du Québec. Ces petites colonies sont indépendantes les unes des autres bien qu'elles relèvent toutes de l'Angleterre.

124

DES COLONIES ANGLAISES EN DIFFICULTÉ

À partir de 1840, les colonies connaissent de graves difficultés. Elles sont très endettées et elles craignent d'être attaquées par les États-Unis. En plus, aucun gouvernement du Canada-Uni ne réussit à garder le pouvoir et en dix ans les habitants doivent aller voter dix fois. Devant toutes ces difficultés, les dirigeants de certaines colonies pensent à se regrouper.

LES DÉBUTS DU CANADA ACTUEL

En septembre 1864, des représentants de la Nouvelle-Écosse, du Nouveau-Brunswick, de l'Île-du-Prince-Édouard et du Canada-Uni se réunissent à Charlottetown sur l'Île-du-Prince-Édouard afin de discuter d'un projet d'union de leurs colonies. Les personnes les plus importantes qui participent à cette réunion sont John A. Macdonald, George Brown et George Étienne Cartier du Canada-Uni, Char-

125

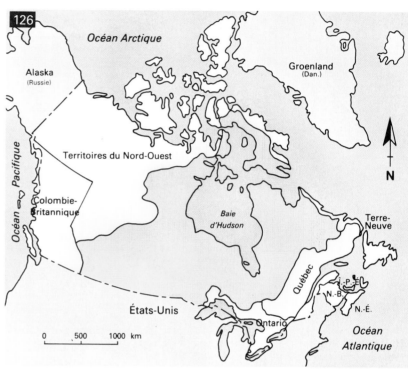

126

les Tupper de la Nouvelle-Écosse, Samuel L. Tilley du Nouveau-Brunswick et John H. Gray de l'Île-du-Prince-Édouard.

Lors d'une deuxième rencontre tenue le mois suivant à Québec, des représentants de Terre-Neuve participent aussi aux discussions. Suite à cette conférence, un projet de regroupement des colonies est présenté au gouvernement de l'Angleterre en 1866.

127

124 Le canal Rideau vers 1851.

125 John A. Macdonald élu premier ministre en 1867, lors des premières élections fédérales à se tenir au Canada.

126 Les colonies anglaises d'Amérique du Nord avant 1867.

127 Les représentants des colonies anglaises à la conférence de Charlottetown.

128 Immigrants en route vers les Prairies.

128

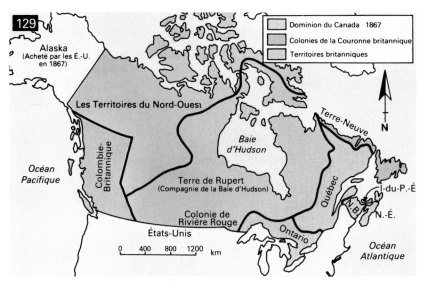

129 Le Canada lors de sa création en 1867.

130 Construction du chemin de fer en Colombie-Britannique dans les années 1880.

132 Évolution du territoire du Canada depuis sa naissance en 1867.

Le premier juillet 1867, la reine Victoria d'Angleterre annonce la création de la Confédération du Canada-Uni, de la Nouvelle-Écosse et du Nouveau-Brunswick. Ces trois colonies donnent naissance aux quatre premières provinces canadiennes, le Canada-Uni formant désormais le Québec et l'Ontario. L'Angleterre, après avoir hésité entre Boréalies, Cabotie, Colombie et Canada, choisit le nom Canada pour ce nouveau pays. L'Île-du-Prince-Édouard et Terre-Neuve n'en font pas alors partie car elles se sont retirées du projet d'union avant son acceptation par l'Angleterre.

LE CANADA S'AGRANDIT
De 1870 à 1949, d'autres provinces et territoires vont se joindre au Canada pour former l'immense pays actuel. Dès 1868, le Canada achète les Territoires du Nord-Ouest de la Compagnie de la baie d'Hudson. À cette époque, ces territoires couvraient une plus

grande superficie qu'aujourd'hui car ils englobaient toutes les prairies de l'Ouest ainsi que le nord de la Colombie-Britannique et du Manitoba. En 1870, le Manitoba devient la cinquième province du Canada.

En 1871, la Colombie-Britannique envisage de s'unir soit aux États-Unis, soit au Canada. Finalement, le 20 juillet, elle choisit la deuxième option lorsque le Canada lui promet de construire dans les dix prochaines années, un chemin de fer pour la relier aux provinces canadiennes de l'Est. L'Île-du-Prince-Édouard, quant à elle, entre dans la Confédération deux ans plus tard, soit en 1873. De nouveau, la construction d'un chemin de fer est au centre des négociations. Puis, en 1898, le Yukon devient un territoire autonome en se détachant des Territoires du Nord-Ouest.

Le Canada encourage l'immigration dans le but de peupler ces vastes étendues de terres nouvelles. De nombreux Allemands, Scandinaves et Ukrainiens viennent s'établir dans les Prairies et participent, en 1905, à la formation de deux autres provinces: l'Alberta et la Saskatchewan. Puis, en 1949, Terre-Neuve se joint, pour des raisons d'ordre économique, au reste du Canada qui prendra dès lors la forme qu'on lui connaît.

131		1534 Naissance de la Nouvelle-France		1760 Conquête de la Nouvelle-France		1867 Naissance du Canada		1988
1401	1500	1501	1600	1601	1700	1701	1800	1801	1900	1901	2000
	15ᵉ s.		16ᵉ s.		17ᵉ s.		18ᵉ s.		19ᵉ s.		20ᵉ s.

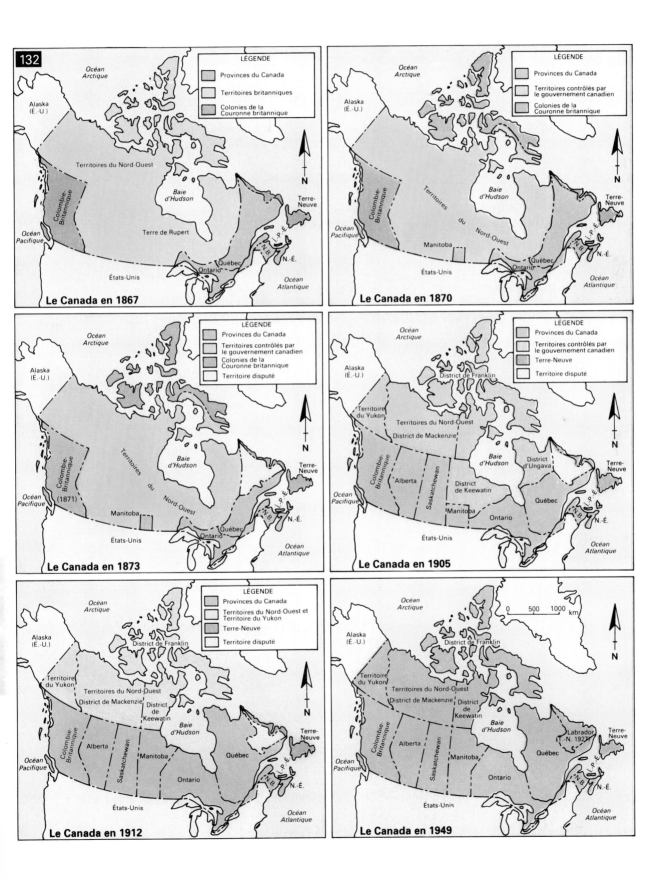

132

LÉGENDE
- Provinces du Canada
- Territoires britanniques
- Colonies de la Couronne britannique

Le Canada en 1867

LÉGENDE
- Provinces du Canada
- Territoires contrôlés par le gouvernement canadien
- Colonies de la Couronne britannique

Le Canada en 1870

LÉGENDE
- Provinces du Canada
- Territoires contrôlés par le gouvernement canadien
- Colonies de la Couronne britannique
- Territoire disputé

Le Canada en 1873

LÉGENDE
- Provinces du Canada
- Territoires contrôlés par le gouvernement canadien
- Terre-Neuve
- Territoire disputé

Le Canada en 1905

LÉGENDE
- Provinces du Canada
- Territoires du Nord-Ouest et Territoire du Yukon
- Terre-Neuve
- Territoire disputé

Le Canada en 1912

Le Canada en 1949

ACTIVITÉ DE SYNTHÈSE

Attention! Tu peux te référer aux illustrations et aux textes des dossiers 10 à 12 pour réaliser l'activité de synthèse.

Situe sur une ligne du temps les événements suivants: la fondation de la Nouvelle-France, la Conquête, l'arrivée des Loyalistes, la fondation du Canada actuel.

À partir de cette ligne du temps, explique dans tes mots pourquoi le Canada est un pays bilingue regroupant des anglophones et des francophones.

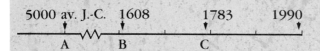

BILAN D'APPRENTISSAGE

Attention! Tu peux te référer aux illustrations et aux textes des dossiers 10 à 12 pour réaliser le bilan d'apprentissage. Cependant, tu dois faire appel uniquement à ton jugement et à ta mémoire pour faire les activités accompagnées de ce symbole •.

DOSSIER 10

• 1. Situe sur une ligne du temps le siècle et l'année de la conquête de la Nouvelle-France par l'Angleterre.
Demande à l'enseignant ou à l'enseignante de ta classe de te remettre cette ligne du temps.

2. Replace dans l'ordre les principaux épisodes de la prise de Québec par Wolfe en 1759.
   a) Les troupes anglaises s'installent à la pointe de Lévy pour bombarder Québec.
   b) Québec capitule et les Anglais prennent possession de la ville.
   c) Les troupes anglaises débarquent à l'Anse-au-Foulon.
   d) Les armées française et anglaise se livrent une bataille rangée sur les Plaines d'Abraham.
   e) Montcalm distribue les armées françaises sur la rive gauche du fleuve Saint-Laurent.

DOSSIER 11

1. Les lettres A, B et C représentent l'arrivée au Québec de trois groupes ethniques. Peux-tu identifier le groupe ethnique représenté par chaque lettre?

2. Pour chacune des dates suivantes, explique ce qui a amené une population d'origine anglaise à s'établir sur le territoire du Québec actuel: a) 1760; b) 1783.

DOSSIER 12

• 1. Situe sur une ligne du temps l'année et le siècle de la fondation du Canada ainsi que l'année et le siècle en cours.
Demande à l'enseignant ou à l'enseignante de ta classe de te remettre cette ligne du temps.

• 2. Calcule le nombre approximatif d'années qui se sont écoulées entre la fondation du Canada et aujourd'hui:
   a) 1175 ans;   b) 200 ans;   c) 125 ans.

LES ARRIVANTS

Une nouvelle exploration!

Ce que j'en sais...
Ce que j'en pense...

Selon toi, qu'est-ce qu'un arrivant?

As-tu une idée de l'identité et de l'origine des premiers arrivants au Canada? Après eux, connais-tu d'autres groupes qui sont arrivés au Canada après avoir quitté leur pays?

De nos jours, est-ce que le Canada accueille encore de nouveaux arrivants? D'après toi, pourquoi des gens quittent-ils leur pays pour s'établir au Canada?

Ce que je veux explorer...

Qu'aimerais-tu explorer au sujet des arrivants qui ont formé la population du Canada et qui continuent encore de nos jours à l'enrichir? Quels moyens prévois-tu utiliser pour trouver des réponses à tes questions?

13 L'IMMIGRATION DES IRLANDAIS AU 19ᵉ SIÈCLE

Dans quelles conditions sont-ils venus au Canada?

ACTIVITÉS

JE RÉFLÉCHIS...

1. Connais-tu dans ton milieu des gens qui sont nés dans un autre pays que le Canada? Si possible, renseigne-toi auprès de quelques-unes de ces personnes sur les motifs qui les ont amenées à quitter leur pays.
Sinon, essaie d'imaginer toi-même ces motifs.

2. Au 19ᵉ siècle, des milliers d'Irlandais et d'Irlandaises quittent leur pays pour venir vivre au Canada.
Observe l'Irlande sur une carte du monde et essaie d'imaginer pourquoi ces personnes ont quitté leur pays et quel moyen de transport ils ont utilisé pour se rendre au Canada.

JE VÉRIFIE MES IMPRESSIONS...

3. À partir du texte et des illustrations de ce dossier, recherche les informations qui te permettront de mieux comprendre l'immigration des Irlandais au Canada au 19ᵉ siècle.
Par exemple, renseigne-toi sur:
- les motifs qui les ont amenés à quitter l'Irlande;
- les années où ils ont immigré au Canada en grand nombre;
- les difficultés rencontrées durant la traversée de l'Atlantique;
- leur arrivée au Canada;
- les endroits où ils se sont établis.

4. Recherche dans ton milieu ou dans le Québec d'aujourd'hui des traces encore visibles de la venue des Irlandais au 19ᵉ siècle.

J'UTILISE MES DÉCOUVERTES...

5. En te basant sur les renseignements recueillis à l'activité 3, raconte dans tes propres mots l'immigration des Irlandais au Canada au 19ᵉ siècle.
Ton récit peut prendre la forme d'un texte illustré, d'un sketch ou d'une communication verbale.

 u 19ᵉ siècle, des centaines de milliers d'Irlandais immigrent au Canada. Les premières familles arrivent dès 1811 mais la majorité d'entre elles s'installent entre 1830 et 1850. Elles proviennent surtout du sud de l'Irlande et de Liverpool en Angleterre. Tout comme le Canada, l'Irlande fait alors partie de l'Empire britannique.

UNE FAMINE EN IRLANDE

Dans la première moitié du 19ᵉ siècle, l'Irlande connaît une période de famine et de misère. Suite à une forte augmentation de sa population et à de mauvaises conditions climatiques, les récoltes de pommes de terre sont devenues insuffisantes pour nourrir tous les habitants. Pour les Irlandais, une pénurie de pommes de terre entraîne nécessairement la famine car ce légume constitue la base de leur alimentation. Entre 1845 et 1850, l'Irlande vit sa plus grande famine car les pommes de terre sont atteintes d'une maladie qui les rend impropres à la consommation. La population du pays diminue du quart à cause d'un taux de mortalité très élevé et d'une émigration massive. C'est durant ces années que le nombre d'immigrants irlandais arrivant au Canada est le plus élevé.

133

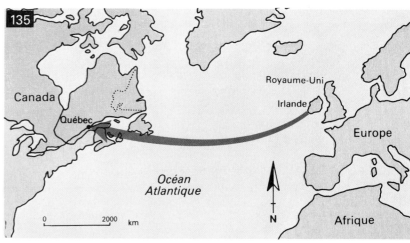

LA TRAVERSÉE EN BATEAU

Des hommes, des femmes et des enfants très pauvres fuient leur pays en espérant trouver ailleurs de meilleures conditions de vie. La majorité des émigrants irlandais habitent la campagne, parlent la langue anglaise et pratiquent la religion catholique. Ils traversent l'océan Atlantique et arrivent au port de Québec, à bord de grands voiliers de bois. Le voyage dure environ douze semaines et se déroule dans d'affreuses conditions sanitaires. Les bateaux sont surchargés, malpropres et mal aérés. Les voyageurs manquent aussi de nourriture et d'eau potable, portent toujours les mêmes vêtements et dorment sur des ballots de paille.

133 La famine cause de nombreux décès dans les familles.

134 En immigrant, les Irlandais laissent derrière eux leur maison, leur village et leurs amis.

135 La route d'immigration des Irlandais vers Québec.

136 Arrivées d'immigrants irlandais au port de Québec (1829-1859).

137 Voilier de bois servant au transport des Irlandais.

138 La traversée de l'Atlantique s'effectue dans des conditions difficiles.

136 ARRIVÉES D'IMMIGRANTS IRLANDAIS AU PORT DE QUÉBEC (1829-1859)

Milliers

54
51
48
45
42
39
36
33
30
27
24
21
18
15
12
9
6
3

1829   35   40   45   50   55   1859

EMIGRATION VESSEL.—BETWEEN DECKS.

la moitié de la population outaouaise se compose d'Irlandais. Plusieurs immigrants irlandais travaillent comme manoeuvres dans la construction des canaux (par exemple le canal Lachine) et des chemins de fer. On les retrouve aussi comme travailleurs dans les ports de Québec et de Montréal ainsi que dans l'industrie forestière. En 1871, les Irlandais forment 10% de la population du Québec. Mais, à la fin du 19ᵉ siècle et au début du 20ᵉ, ils émigrent en grand nombre vers l'Ontario et les États-Unis. La proportion d'Irlandais dans l'ensemble de la population québécoise diminue donc, passant à 7% en 1901 et à 4% en 1931. Aujourd'hui, les Québécois d'origine irlandaise représentent environ 2% de la population totale.

139 Hôpital général de Grosse-Île.

140 Résidence des infirmières de Grosse-Île.

141 Monument aux Irlandais à Grosse-Île.

142 Construction d'un canal pour la navigation.

143 Église Saint-Patrick à Montréal.

144 Fête de la Saint-Patrick à Montréal.

L'ARRIVÉE AU CANADA

Certains Irlandais qui viennent au Canada sont atteints du choléra ou du typhus, deux maladies très répandues en Europe à cette époque. Durant la traversée, ils contaminent d'autres passagers et c'est ainsi que plusieurs immigrants meurent au cours du voyage ou arrivent malades au port de Québec, provoquant même des épidémies dans la population canadienne. Pour éviter la contamination, le gouvernement canadien met sur pied deux stations de **quarantaine**, une à Grosse-Île au Québec et l'autre sur l'île Partridge au Nouveau-Brunswick.

Grosse-Île est située au milieu du fleuve Saint-Laurent à environ cinquante kilomètres de Québec. On y garde les immigrants malades, s'ils survivent, jusqu'à leur guérison. On y trouve des hôpitaux mais l'équipement médical étant insuffisant, de nombreux Irlandais y meurent. Par exemple, les historiens évaluent à plus de quinze mille le nombre d'immigrants décédés lors de la traversée de l'Atlantique ou à leur arrivée au Canada dans la seule année de 1847. Pour ces gens, l'émigration comporte donc beaucoup de risques.

Les Irlandais qui restent au Québec après leur arrivée s'établissent majoritairement dans les villes de Québec et de Montréal, dans les Cantons-de-l'Est et dans l'Outaouais. En 1851,

LES TRACES DE L'IMMIGRATION IRLANDAISE

Dans le Québec d'aujourd'hui, nous trouvons des signes qui témoignent de la venue des Irlandais au 19ᵉ siècle. Par exemple, il existe de nombreuses églises fondées pour ces immigrants dans plusieurs villes (Québec, Montréal, Sherbrooke, Richmond). Ces églises portent généralement le nom de Saint-Patrick en l'honneur de celui qui a converti les Irlandais à la religion catholique au 5ᵉ siècle. Plusieurs écoles fréquentées autrefois par des élèves d'origine irlandaise portent aussi le nom de Saint-Patrick. À Grosse-Île, il y a aujourd'hui un monument, érigé en 1909, à la mémoire des Irlandais décédés à leur arrivée au Canada.

Le 17 mars, fête de la Saint-Patrick, les Irlandais célèbrent leur fête nationale. À cette occasion, les Irlandais québécois paradent dans les rues de Montréal. On voit alors beaucoup de trèfles verts orner les vitrines des magasins. Ils symbolisent l'Irlande, tout comme la fleur de lys représente la province de Québec. Une autre fête bien connue des enfants, l'Halloween, a aussi été introduite au Québec par les immigrants irlandais.

D'autres indices apparaissent dans les annuaires du téléphone où l'on retrouve certains noms de familles originaires d'Irlande tels que Kelly, McGee, Fitzpatrick, Hayes ou O'Bready. Plusieurs de ces gens pourraient donc être les descendants des immigrants irlandais du 19ᵉ siècle.

Quarantaine: *isolement imposé à des personnes atteintes de maladies contagieuses.*

14 L'IMMIGRATION DES VIETNAMIENS AU 20ᵉ SIÈCLE

Dans quelles conditions sont-ils venus au Canada?

A C T I V I T É S

JE RÉFLÉCHIS...

1. As-tu déjà entendu parler du Viêt-nam? Où est-il situé? Qu'est-ce que tu en connais?

2. Connais-tu dans ton milieu des personnes d'origine vietnamienne? Crois-tu qu'il y en a plusieurs au Canada? D'après toi, qu'est-ce qui a amené ces personnes à immigrer dans notre pays?

JE VÉRIFIE MES IMPRESSIONS...

3. Trouve sur un globe terrestre le continent où est situé le Viêt-nam.

4. Trouve sur un globe terrestre l'océan qui sépare le Viêt-nam du Canada.

5. À partir du texte et des illustrations de ce dossier, recherche les informations qui te permettront de comprendre l'immigration des Vietnamiens au Canada au 20ᵉ siècle.
   Par exemple, renseigne-toi sur:
   - les motifs qui les ont amenés à quitter le Viêt-nam;
   - les années où ils ont immigré au Canada en grand nombre;
   - les conditions de leur voyage entre leur pays et le Canada;
   - leurs conditions d'établissement au Canada.

6. Recherche dans ton milieu ou dans le Québec d'aujourd'hui, des traces de la présence vietnamienne.

J'UTILISE MES DÉCOUVERTES...

7. En te basant sur les renseignements recueillis à l'activité 5, décris à ta manière l'immigration des Vietnamiens au Canada au 20ᵉ siècle.
   Ta description peut prendre la forme d'un texte illustré, d'un sketch, d'une communication orale, etc.

Depuis 1975, environ 20 000 Vietnamiens ont immigré au Québec. Avant cette date, on en dénombrait seulement un millier. Il s'agissait principalement de jeunes gens venus étudier au Québec et qui, une fois leurs études terminées, ont choisi de demeurer ici.

LA GUERRE DU VIÊT-NAM

Le pays d'origine de ces immigrants, le Viêt-nam, se trouve en Asie, aux frontières de la Chine, du Kampuchea et du Laos. Le Viêt-nam était une colonie française depuis 1885. Le peuple vietnamien a lutté très longtemps pour obtenir son indépendance. Les accords de Genève en 1954 mettent fin à la guerre et partagent le Viêt-nam en deux États, le Viêt-nam du Nord et le Viêt-nam du Sud. La lutte pour l'indépendance se poursuit. Une longue guerre oppose pendant plus de vingt ans le Viêt-nam du Nord allié de la Chine et de l'URSS et le Viêt-nam du Sud soutenu par les États-Unis. Les États-Unis envoient dans la bataille des centaines de milliers de soldats et lancent sur le Viêt-nam plus de bombes que durant toute la Deuxième Guerre mondiale.

Malgré l'implication américaine, cette guerre prend fin le 29 avril 1975 par la victoire de ceux et celles qui voulaient l'indépendance et la réunification du Viêt-nam. Le pays est ravagé; des régions entières ont été tellement bombardées que plus aucune végétation n'y pousse; des villes complètes ont été rayées de la carte; les industries sont détruites. La reconstruction du pays demande un effort colossal sans compter les problèmes sociaux engendrés par la guerre.

145

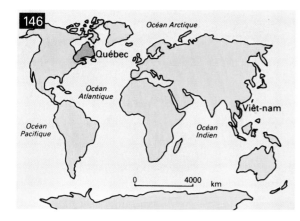

LE LONG VOYAGE VERS LE CANADA

Près de 700 000 Vietnamiens décident alors de quitter leur pays espérant trouver ailleurs une vie meilleure. Plusieurs de ces émigrants doivent partir **clandestinement** car les nouveaux dirigeants du pays s'opposent à leur départ. Ils s'organisent en petits groupes et, sur des bateaux de pêcheurs, s'aventurent en mer de Chine en direction des pays voisins. Sur ces embarcations de bois, s'entassent des dizaines et, parfois même, des centaines de personnes. Les conditions du voyage sont très pénibles et souvent près du tiers des passagers d'un bateau meurent de faim, de soif et d'épuisement. Navigant en direction du sud, beaucoup de bateaux font naufrage ou sont attaqués par des pirates dans le golfe de Thaïlande. La durée du périple en mer varie de quelques jours à quelques semaines jusqu'à ce qu'un pays accepte de les recevoir.

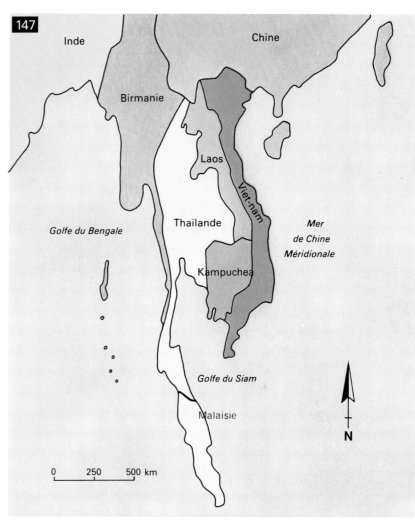

Clandestinement: *secrètement.*

145 Des milliers de Vietnamiens se sont entassés sur de petits bateaux pour fuir leur pays.

146 La position du Viêt-nam par rapport au Québec.

147 Les pays voisins du Viêt-nam.

148 Les enfants du Viêt-nam ont aussi souffert de la guerre.

149 Camp de réfugiés vietnamiens en Thaïlande.

150 Les immigrants vietnamiens nous ont fait connaître leur délicieuse cuisine.

La Thaïlande est le pays qui a hébergé la majorité des réfugiés vietnamiens. Ils y ont vécu regroupés dans des camps où la nourriture, les vêtements et les soins médicaux leur étaient fournis. Leur séjour, bien que temporaire, se prolonge souvent un an ou même deux jusqu'à ce qu'un pays (la France, les États-Unis, le Canada, l'Australie, etc.) consente à les accueillir définitivement. Le Canada a accepté environ 80 000 réfugiés depuis 1975. Ils émigrent alors par avion, dans des conditions de voyage beaucoup plus agréables que celles qu'ils ont connues à leur départ du Viêt-nam.

LE CANADA, UNE NOUVELLE PATRIE

Le premier groupe de réfugiés vietnamiens atterrit à Montréal le 8 mai 1975. Ce sont des gens instruits (pharmaciens, médecins, professeurs, fonctionnaires) qui parlent le français ou l'anglais et qui sont familiers avec le mode de vie occidental. De 1975 à 1978, seulement un petit nombre de Vietnamiens immigrent au Québec mais, dès la fin de 1978, le Québec en accepte beaucoup plus. Ces nouveaux immigrants parlent seulement le vietnamien ou le chinois et ils sont moins scolarisés. Ouvriers plus ou moins spécialisés, techniciens et commerçants, ils sont mariés et âgés en moyenne de 30 ans. Leur famille se compose de trois ou quatre enfants. Ils pratiquent majoritairement le bouddhisme bien que certains d'entre eux soient de religion catholique ou protestante. Ils habitent pour la plupart à Montréal (quartier Côte-des-Neiges, centre-ville) ou dans la région de Montréal (Brossard, Longueuil, Saint-Léonard, Outremont, Ville Saint-Laurent). D'autres se sont établis dans les villes de Québec et de Sherbrooke.

Plusieurs organismes sociaux, culturels et religieux (paroisse, famille d'accueil) se sont engagés à initier les Vietnamiens à la vie québécoise. Leur adaptation est cependant difficile et lente, notre mode de vie étant extrêmement différent du leur. Ils trouvent nos hivers très froids et très rigoureux car, au Viêt-nam, la température oscille entre 17 °C et 27 °C durant toute l'année. Ils souffrent de solitude et s'ennuient de leurs familles qui sont demeurées au Viêt-nam ou patientent encore dans un camp de réfugiés. Souvent, le peu d'argent qu'ils économisent est envoyé au Viêt-nam afin d'accélérer la venue des autres membres de la famille. Près de 400 enfants sans parents ont pu être placés dans des familles québécoises d'accueil depuis 1980.

Comme le taux de chômage est assez élevé au Québec, les immigrants vietnamiens éprouvent de la difficulté à se trouver des emplois. Lorsqu'ils y réussissent, leur nouveau travail correspond rarement à leur formation. La plupart des femmes vietnamiennes travaillent dans des manufactures de vêtements.

L'APPORT DES IMMIGRANTS VIETNAMIENS

Même si la majorité des Vietnamiens habitent au Québec depuis moins de dix ans, ils sont présents dans beaucoup de domaines. Ils ont ouvert beaucoup de restaurants et de dépanneurs, des agences de voyages, des pharma-

cies, des bureaux de comptables, d'avocats et de médecins. Ils ont mis sur pied un réseau d'associations afin de promouvoir les relations entre les divers membres de la communauté vietnamienne québécoise. Il y a dans les villes de Montréal, Québec et Sherbrooke des associations de Vietnamiens qui veillent à l'accueil et à l'intégration des réfugiés récemment arrivés dans la province. Les Vietnamiens du Québec possèdent leurs propres journaux et réalisent quelques émissions de radio dans leur langue. Pour faciliter l'exercice de leur religion, ils ont érigé une **pagode** à Brossard ainsi qu'un oratoire et un temple à Montréal. Grâce à ce dynamisme individuel et collectif, les Vietnamiens s'intègrent progressivement à leur nouveau pays et enrichissent de leurs coutumes et de leur culture la vie québécoise.

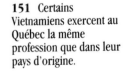

151 Certains Vietnamiens exercent au Québec la même profession que dans leur pays d'origine.

152 Jeunes vietnamiennes.

153 Épicerie vietnamienne.

154 Pagode bouddhiste de Brossard.

Pagode: *temple religieux.*

15 LES GROUPES ETHNIQUES

Ont-ils tous la même importance au Canada?

A C T I V I T É S

JE RÉFLÉCHIS...

1. Peux-tu nommer des groupes ethniques qui composent la population de ta région? D'après toi, est-ce qu'il y a au Canada d'autres groupes ethniques que ceux-là? Si oui, lesquels?

2. À quel groupe ethnique appartiennent la majorité des gens de ta région? Selon toi, est-ce que la majorité des Canadiens et des Canadiennes font aussi partie de ce groupe ethnique? Partage ton opinion avec celle de tes camarades.

JE VÉRIFIE MES IMPRESSIONS...

3. À partir du graphique 163, classe les groupes ethniques du Canada par ordre d'importance en commençant par celui qui regroupe le plus de personnes.

4. À partir du graphique 164, classe les groupes ethniques du Québec par ordre d'importance en commençant par celui qui regroupe le plus de personnes.

5. À partir du graphique 163, identifie les trois groupes ethniques les plus importants au Canada après ceux d'origine anglaise et d'origine française.

6. Observe le tableau 162. Que t'apprend ce tableau au sujet de l'importance numérique des Amérindiens et des Inuit parmi la population du Canada.

J'UTILISE MES DÉCOUVERTES...

7. En comparant les graphiques 163 et 164, quelles observations peux-tu dégager au sujet des deux principaux groupes ethniques du Québec et du Canada?

Les ancêtres des habitants du Canada sont venus, au cours des siècles, des quatre coins du monde. C'est ainsi que s'est formé le pays que nous connaissons aujourd'hui.

ORIGINES AMÉRINDIENNE ET INUIT

Les Amérindiens et les Inuit ont été les premiers habitants du Canada. Plusieurs chercheurs croient que ces peuples sont venus d'Asie il y a plus de 35 000 ans. Une épaisse couche de glace recouvrait alors l'Amérique du Nord, ce qui avait fait baisser le niveau des océans. Grâce à ces conditions exceptionnelles, les ancêtres des Amérindiens et des Inuit ont pu traverser à pied le détroit de Béring qui sépare l'Asie de l'Amérique du Nord. Durant plusieurs siècles, ils ont été les seuls habitants du Canada. Cependant, aujourd'hui, leurs descendants représentent à peine 2% de la population canadienne.

Les Amérindiens appartiennent à plusieurs bandes réparties à travers le Canada. Toutefois, la majorité d'entre eux se retrouvent dans les six provinces suivantes: l'Ontario, la Colombie-Britannique, l'Alberta, le Manitoba, la Saskatchewan et le Québec. Plus de la moitié des Amérindiens vivent dans des réserves créées par le gouvernement fédéral. Les Inuit habitent dans de petits villages éparpillés au Labrador, dans les îles de l'Arctique et sur la côte des Territoires du Nord-Ouest ainsi que sur les rives de la baie d'Hudson et de la baie d'Ungava.

155

De nos jours, beaucoup d'Amérindiens et d'Inuit pratiquent la chasse et la pêche comme leurs ancêtres. Cependant, la vie traditionnelle de ces peuples a été profondément transformée par les contacts répétés avec les Blancs et l'apparition d'une technologie moderne (motoneige, télévision, électricité, avion). Étant peu nombreux, les Amérindiens et les Inuit se sont regroupés dans des associations pour défendre leurs intérêts et sauvegarder leur culture.

155 Amérindiens montagnais revenant de la pêche.

156 La cornemuse et le port du kilt font partie du folklore des Canadiens d'origine écossaise.

157 Écoliers inuit.

158 Fête de la Saint-Jean-Baptiste.

ORIGINE BRITANNIQUE

Les Canadiens d'origine britannique constituent le groupe le plus nombreux. Les premiers ont immigré au Canada dès le 17e siècle. D'autres sont venus aux 18e, 19e et 20e siècles. Aujourd'hui, les Canadiens d'origine britannique sont répartis à travers les dix provinces et les deux territoires du Canada. À eux seuls, ils forment 40% de la population canadienne.

ORIGINE FRANÇAISE

Les autres habitants du Canada sont les descendants d'immigrants qui sont arrivés bien après les Amérindiens et les Inuit. On retrouve parmi eux plusieurs groupes ethniques. Environ 6,5 millions d'entre eux sont d'origine française. Ils sont en majorité les descendants des colons français qui se sont établis dans la vallée du Saint-Laurent au 17e siècle et dans la première moitié du 18e siècle. Ces Canadiens d'origine française ont conservé leur langue et leur mode de vie. Ils vivent surtout au Québec où ils représentent 80% de la population. Le Nouveau-Brunswick et l'Ontario en comptent aussi un nombre important.

159 Femme d'origine ukrainienne.

160 Le quartier chinois de Vancouver est le plus important du Canada.

AUTRES ORIGINES

Les autres groupes ethniques représentés au Canada sont très diversifiés. Plus de 31% des Canadiens en font partie. Ces groupes ethniques sont en majorité originaires d'Europe. Les principaux sont d'ascendance allemande, italienne, ukrainienne, **néerlandaise**, chinoise et scandinave.

Ces ethnies se retrouvent dans toutes les provinces canadiennes mais une majorité d'entre elles vit en Ontario, au Québec et en Colombie-Britannique. Les grandes villes comme Toronto, Montréal et Vancouver attirent beaucoup ces groupes puisqu'elles offrent de vastes possibilités d'emplois et facilitent les contacts avec la parenté et les amis. Les Canadiens d'origine allemande représentent le plus important groupe ethnique de la Saskatchewan et du Manitoba après les Canadiens de souche britannique. La communauté italienne est nombreuse au Québec et en Ontario, tout particulièrement à Montréal et à Toronto. Quant aux Ukrainiens, qui sont originaires d'Ukraine, république de l'URSS, on les retrouve surtout dans les Prairies et en Ontario. La communauté chinoise est regroupée principalement dans les villes de Vancouver, Toronto et Montréal.

161 Quartier italien de Toronto.

Ces divers groupes ethniques ne sont pas tous arrivés au Canada au même moment. Certains sont venus vers le milieu du 19ᵉ siècle comme les Allemands, d'autres au début du 20ᵉ siècle comme les Ukrainiens, les Polonais, les Italiens et les Hongrois. D'autres groupes dont les Vietnamiens et les Kampuchéens, sont arrivés plus tard vers le milieu des années 1970. Plusieurs motifs expliquent la venue de ces personnes au pays. D'abord la possibilité de meilleurs emplois et une amélioration de la qualité de vie. De mauvaises conditions économiques, des guerres, des famines et des gouvernements **répressifs** ont également amené des milliers de personnes à quitter leur pays d'origine.

Répressifs: *qui répriment, empêchent de s'exprimer.*

162 Évolution des principaux groupes ethniques au Canada de 1600 à 1981.

163 Population du Canada selon l'origine ethnique.

164 Population du Québec selon l'origine ethnique.

C'est l'Ontario qui est le lieu privilégié par les immigrants qui s'établissent au Canada. C'est le cas des Italiens, des Allemands, des Américains et de nombreux autres groupes ethniques qui choisissent cette province comme lieu de résidence. Les immigrants forment d'ailleurs plus de la moitié de la population de Toronto. Certaines communautés, comme celles des Français et des Haïtiens, sont très peu représentées en Ontario. Ceci s'explique par le fait que les gens venant de France et d'Haïti parlent la langue française, ce qui rend leur adaptation plus facile au Québec. C'est pour cette même raison que l'on retrouve de nombreux Libanais, Marocains et Égyptiens dans notre province.

162 ÉVOLUTION EN POURCENTAGE DES PRINCIPAUX GROUPES ETHNIQUES AU CANADA

Date	Amérindiens et Inuit	Français	Britanniques	Autres
1600	100	—	—	—
1680	93	5	1	—
1790	36	36	27	—
1850	4,7	27	65	2
1901	1,8	29	59	9,5
1961	1,2	30,4	43,8	24,6
1981	1,7	26,7	40,1	31,4

Source: *Annuaire du Canada, 1985* (pour les données de 1981).
L.E. Hamelin, *Le Canada*, PUF, Paris, 1969 (pour les autres données).

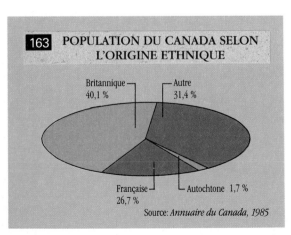
163 POPULATION DU CANADA SELON L'ORIGINE ETHNIQUE

Britannique 40,1 %
Autre 31,4 %
Française 26,7 %
Autochtone 1,7 %
Source: *Annuaire du Canada, 1985*

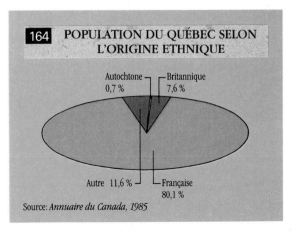
164 POPULATION DU QUÉBEC SELON L'ORIGINE ETHNIQUE

Autochtone 0,7 %
Britannique 7,6 %
Autre 11,6 %
Française 80,1 %
Source: *Annuaire du Canada, 1985*

ACTIVITÉS DE SYNTHÈSE

Attention! Tu peux te référer aux illustrations et aux textes des dossiers 13 à 15 pour réaliser les activités de synthèse.

1. Situe sur la carte muette **B-4** le pays d'origine des cinq groupes ethniques les plus importants en nombre au Canada.

2. À partir de deux ou trois exemples, explique dans tes mots pourquoi certains groupes de personnes ont quitté leur pays pour s'établir au Canada.

BILAN D'APPRENTISSAGE

Attention! Tu peux te référer aux illustrations et aux textes des dossiers 13 à 15 pour réaliser le bilan d'apprentissage.

DOSSIER 13

1. Raconte dans une phrase ou deux pourquoi les Irlandais ont immigré en grand nombre au Canada au 19ᵉ siècle.

2. Parmi ces traces, lesquelles peuvent être associées à la venue des Irlandais au 19ᵉ siècle?
   a) Plusieurs écoles et églises du Québec portent le nom de Saint-Patrick.
   b) Plusieurs Québécois et Québécoises fêtent la Saint-Jean-Baptiste.
   c) Plusieurs familles québécoises portent des noms tels que Côté et Tremblay.
   d) Plusieurs enfants du Québec fêtent l'Halloween.

DOSSIER 14

1. Identifie le continent où est situé le Viêt-nam:
   a) Afrique
   b) Asie
   c) Océanie
   d) Europe

2. Replace dans l'ordre chronologique les événements reliés à l'immigration des Vietnamiens au Canada.
   a) Plusieurs Vietnamiens trouvent refuge en Thaïlande.
   b) Le Canada accepte d'accueillir de nombreux Vietnamiens.
   c) Des milliers de Vietnamiens du Sud fuient leur pays à bord de petits bateaux de bois.
   d) Le Viêt-nam du Nord remporte la guerre qui l'oppose au Viêt-nam du Sud.
   e) Les Canadiens d'origine vietnamienne contribuent au développement du Canada.

DOSSIER 15

1. Identifie le groupe ethnique le plus important en nombre au Canada.

2. Identifie le groupe ethnique le plus important en nombre au Québec.

3. Les Amérindiens et les Inuit sont-ils proportionnellement plus nombreux au Québec ou au Canada?

THÈME C VOYAGES À TRAVERS LE CANADA

Une nouvelle exploration!

Ce que j'en sais...
Ce que j'en pense...

Observe les photos de cette page. Crois-tu qu'elles ont toutes été prises au Canada? Partage ton opinion avec celle de tes camarades.

Indique les photos qui, d'après toi, illustrent des paysages canadiens. Où au Canada penses-tu qu'il est possible d'observer des paysages semblables? Identifie ces endroits sur une carte du Canada et explique les raisons de ton choix.

Ce que je veux explorer...

Parmi les paysages canadiens illustrés sur cette page, lequel préfères-tu? Explique les raisons de ton choix.

Aimerais-tu en connaître plus sur la région du Canada où se trouve ce paysage? Quelles informations aimerais-tu recueillir au sujet de cette région? Quels moyens prévois-tu prendre pour trouver des réponses à tes questions?

Pourquoi les paysages du Canada sont-ils semblables et différents à la fois?

A C T I V I T É S

DOSSIERS 16 à 20

JE RÉFLÉCHIS...

1. Un milliardaire de Hong Kong désire investir une partie de sa fortune au Canada. Des amis lui ont suggéré de faire des affaires dans l'une ou l'autre des régions suivantes: la côte atlantique, le sud de l'Ontario, les Prairies, les Rocheuses, l'Arctique. Toi, as-tu déjà visité ou entendu parler de ces différentes régions du Canada? Raconte à tes camarades ce que tu en connais.

2. Le riche financier de Hong Kong connaît très peu le Canada. Pour l'aider à choisir une région où investir son argent, il demande aux élèves de ta classe de lui faire parvenir une étude comparative de la côte atlantique, du sud de l'Ontario, des Prairies, des Rocheuses et de l'Arctique.
Dresse la liste des informations qui devraient être fournies à ce milliardaire pour bien le renseigner sur chacune de ces régions.

3. Communique à ton enseignant(e) les informations que tu as trouvées à l'activité 2 afin qu'il ou elle puisse les écrire au tableau avec celles de tes camarades.

4. Observe ce qui a été écrit au tableau à l'activité précédente et, avec tes camarades de classe, conviens des sujets à traiter afin que l'investisseur de Hong Kong puisse découvrir et comparer les régions du Canada.

5. Décide avec tes camarades de classe de la façon dont vous allez vous répartir le travail de recherche.
Par exemple, des équipes de travail peuvent se partager les régions à explorer ou les aspects à traiter d'une même région.

JE VÉRIFIE MES IMPRESSIONS...

6. Recueille des informations sur la région choisie et regroupe-les selon le plan convenu avec ta classe à l'activité 4.
Tu trouveras plusieurs informations en consultant les illustrations et les textes des dossiers 16 à 20. Un atlas te sera aussi utile. Tu peux utiliser en plus d'autres documents que tu connais déjà ou qui te seront proposés par ton enseignant(e).

J'UTILISE MES DÉCOUVERTES...

7. Décide avec tes camarades de classe du moyen que vous allez utiliser pour faire la présentation des informations recueillies. *Par exemple, votre recherche peut être présentée sous la forme d'un album, d'un texte illustré, d'une carte illustrée, d'un montage de photos, d'un montage de diapositives, etc.*

8. Prépare-toi à communiquer tes découvertes à l'aide du moyen que tu as choisi à l'activité précédente.

9. Présente ta réalisation à la classe en expliquant dans tes mots les liens qui existent entre certains traits physiques (relief, étendue d'eau, végétation, ressources naturelles, climat, etc.) et certains traits humains (activités économiques, population, etc.) de la région choisie.

10. Après chaque présentation, complète un tableau comparatif semblable à celui-ci à l'aide d'illustrations ou de quelques mots.

Région	Passé	Traits physiques	Activités économiques	Population
La côte atlantique				
Le sud de l'Ontario				
Les Prairies				
Les Rocheuses				
L'Arctique				

Complète aussi les cartes muettes **C-1** à **C-10** qui concernent la région présentée.

11. À l'aide du tableau comparatif et des cartes muettes que tu as complétés, trouve quelques ressemblances et quelques différences entre les cinq régions du Canada explorées par ta classe.

12. Pour chacune des régions du Canada explorées par ta classe, suggère au milliardaire de Hong Kong un type d'entreprise dans laquelle celui-ci devrait investir son argent.
    Justifie chacun de tes choix à partir des traits physiques et humains de la région concernée.

16 LA CÔTE ATLANTIQUE

 es côtes du Nouveau-Brunswick, de la Nouvelle-Écosse, de l'Île-du-Prince-Édouard et de Terre-Neuve sont baignées par l'océan Atlantique. Le Labrador, au nord-est du Québec, est aussi baigné par l'Atlantique. Cependant, le climat, la végétation, le relief et les activités économiques de cette région du Bouclier canadien sont très différents de ceux du Nouveau-Brunswick, de la Nouvelle-Écosse, de l'Île-du-Prince-Édouard et de l'île de Terre-Neuve. C'est pour cette raison que dans ce dossier nous ne parlerons pas du Labrador.

165 La côte atlantique dans le Canada.

166 La côte atlantique, principaux traits physiques et humains.

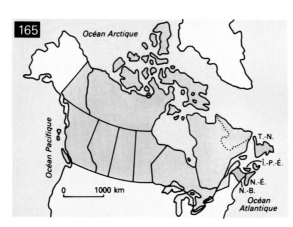

LES FAITS MARQUANTS DU PASSÉ

Les premiers habitants

Bien avant l'arrivée des premiers Européens, la côte atlantique était habitée par les Amérindiens. Les Micmacs vivaient sur l'île du Prince-Édouard, sur l'île du Cap-Breton, en Nouvelle-Écosse et au nord du Nouveau-Brunswick. Les Malécites vivaient surtout au Nouveau-Brunswick alors que les Béothuks étaient établis à Terre-Neuve. Ces peuples

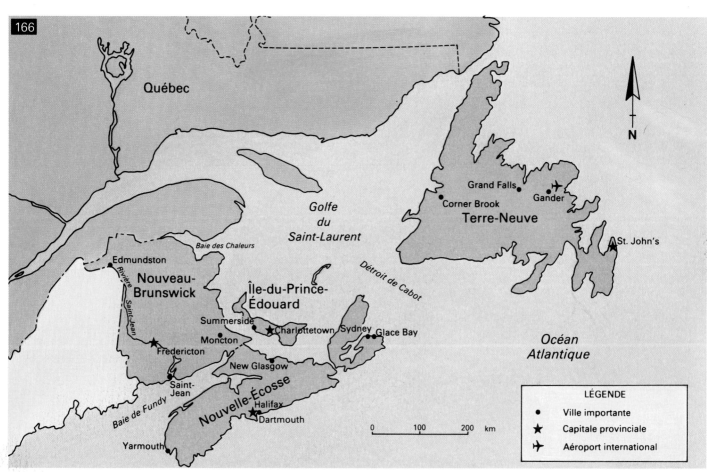

étaient nomades, c'est-à-dire qu'ils se déplaçaient selon les saisons à la recherche de poisson, de gibier ou de petits fruits.

Les explorateurs

Ce n'est que vers l'an 1000 que les premiers Européens, des Vikings venus d'Islande, se rendirent sur les côtes du Labrador et de Terre-Neuve. Quelques groupes ont hiverné à certains endroits de la côte sans toutefois créer d'établissements permanents. L'Anse-aux-Meadows, située au nord-ouest de l'île de Terre-Neuve, est un site archéologique où on a trouvé des vestiges de la présence des Vikings dans la région.

Quelques siècles plus tard, d'autres voyageurs sont venus explorer la région qui devint de plus en plus connue en Europe. Au 16e siècle, de nombreux baleiniers basques vinrent s'établir le long de la côte du Labrador, tout particulièrement à Red Bay. Ces gens ne désiraient pas s'installer en permanence mais voulaient seulement pratiquer la pêche à la baleine qui était fort payante à l'époque. Durant cette période, il y a eu aussi beaucoup d'Européens qui sont venus pêcher la morue sur les bancs de Terre-Neuve dont les richesses marines étaient déjà connues.

Les premiers établissements européens

Il faudra toutefois attendre le 17e siècle avant que le premier établissement européen ne soit fondé dans la région. Ce sera Port-Royal, sur la côte ouest de la Nouvelle-Écosse, construit en 1605 par un groupe de Français, dont Samuel de Champlain, qui fondera Québec trois ans plus tard. Le commerce des fourrures avec les Amérindiens constituait la principale activité des colons de Port-Royal. L'établissement sera en partie délaissé en 1614, Québec étant devenu la principale ville de la Nouvelle-France.

Plus tard, l'influence européenne se fera sentir de plus en plus sur la côte atlantique avec la fondation de certaines colonies françaises et anglaises, celles-ci cherchant à exploiter les abondantes ressources naturelles de la région, comme la fourrure et le poisson. Des

conflits apparurent entre les Amérindiens et les Européens ainsi qu'entre les Européens eux-mêmes. Au début du 18e siècle, la présence anglaise s'affirmera un peu partout sur la côte atlantique, les Français étant refoulés dans la vallée du Saint-Laurent.

167 Pêcheurs européens sur la côte atlantique au 16e siècle.

168 Saint-Jean, au Nouveau-Brunswick, a été fondé par des Loyalistes.

169 La côte atlantique est très découpée par la mer.

170 Forêt de conifères de Terre-Neuve.

Vers 1783, de nombreux Loyalistes américains, fuyant les États-Unis, viendront s'installer en Nouvelle-Écosse et au Nouveau-Brunswick. Le 19ᵉ siècle verra aussi plusieurs immigrants d'Angleterre, d'Irlande et d'Écosse traverser l'Atlantique pour commencer une nouvelle vie dans la région. Ceci explique pourquoi la population d'origine britannique est aujourd'hui majoritaire sur la côte atlantique. Seul le Nouveau-Brunswick compte 36% de gens d'origine française. Ces derniers, que l'on appelle Acadiens, sont les descendants des premiers Français qui ont colonisé cette région durant les 17ᵉ et 18ᵉ siècles. Les

autochtones ne représentent plus qu'un infime pourcentage de la population des provinces de l'Atlantique. Certains peuples, comme les Béothuks, sont même complètement disparus, victimes au 19ᵉ siècle d'une campagne d'extermination à Terre-Neuve. Quant aux autres groupes ethniques, ils sont peu nombreux, à l'exception des Allemands qui vivent surtout en Nouvelle-Écosse.

LES TRAITS PHYSIQUES

Climat

La présence de l'océan constitue l'un des traits dominants de la région. En effet, chacune des provinces de la côte atlantique possède un accès direct à la mer ce qui favorise, d'une part le développement des pêcheries sur les côtes et d'autre part le commerce maritime. La proximité de cette immense masse d'eau exerce une influence adoucissante sur le climat, tout particulièrement le long des côtes où l'on retrouve un type de climat maritime. À ces endroits les précipitations sont assez abondantes. Toutefois la présence du courant d'eau froide du Labrador annule les effets de l'océan lorsqu'on s'éloigne des côtes. Ainsi, à l'intérieur des terres, c'est un climat humide de type continental qui existe avec des hivers froids et des étés chauds.

Végétation et faune

À cause de l'influence du climat, c'est la forêt mixte qui domine dans la région de la côte Atlantique, sauf à Terre-Neuve. Ce type de forêt comprend des conifères de même que des feuillus. L'épinette rouge, le merisier et l'érable à sucre sont les principales essences. Plusieurs animaux tels que les cerfs et les orignaux vivent dans cette forêt en dépit des vastes déboisements qu'elle subit. Quant à l'île de Terre-Neuve, où le climat est plus rigoureux, on y distingue deux types de forêts. Il y a d'abord la forêt boréale, composée de conifères, qui couvre la majeure partie de la province. Le second type est la forêt subarctique qui est présente sur une petite partie de l'île. Ici ce sont les conifères tels que le mélèze et l'épinette qui poussent mais ces arbres sont

petits et espacés en raison des conditions climatiques rigoureuses. L'ours noir, la loutre et l'orignal sont quelques-uns des animaux qui trouvent refuge dans cette forêt.

Hydrographie

La baie de Fundy, entre la Nouvelle-Écosse et le Nouveau-Brunswick, est une étendue d'eau importante où la pêche commerciale est très développée. Cette baie est reconnue pour ses marées, les plus hautes au monde. Il est d'ailleurs question d'utiliser leur puissance pour produire de l'électricité. Le principal cours d'eau de la région de la côte atlantique est la rivière Saint-Jean qui parcourt sur plus de 600 kilomètres une région très fertile du Nouveau-Brunswick avant de se jeter dans la baie de Fundy.

Relief

Les provinces de l'Atlantique sont dans la région des Appalaches. Le relief est formé de collines peu élevées ainsi que de vallées et de plateaux. L'Île-du-Prince-Édouard est, quant à elle, située dans une région de basses terres. C'est d'ailleurs sur cette île que se trouvent les sols les plus favorables à l'agriculture.

LES ACTIVITÉS ÉCONOMIQUES

La pêche

Les activités économiques de la côte atlantique reposent tout particulièrement sur l'exploitation des ressources naturelles du milieu. La plus vieille industrie du pays, la pêche, occupe une place importante dans l'économie des quatre provinces puisqu'elle emploie une main-d'oeuvre considérable autant pour la pêche elle-même que pour la transformation du poisson. Près de 85% des prises canadiennes de poissons proviennent de cette région extrêmement riche en bancs

171 Les plus hautes marées au monde se produisent dans la baie de Fundy.

172 Vallée et collines du Cabot Trail en Nouvelle-Écosse.

173 La pêche procure de nombreux emplois.

174 Usine de bois de sciage.

175 Récolte mécanisée des pommes de terre à l'Île-du-Prince-Édouard.

176 Mine de sel en Nouvelle-Écosse.

de poissons de différentes espèces. Ces bancs de pêche sont convoités depuis longtemps par de nombreux pays. C'est à Terre-Neuve et en Nouvelle-Écosse que l'on enregistre les plus importantes prises de poissons. La sole, la morue, le hareng et les pétoncles sont les principales espèces pêchées.

L'industrie forestière

L'industrie forestière est le second secteur dominant de l'économie du territoire. Cette industrie est présente partout sauf sur l'Île-du-Prince-Édouard. Les plus grandes quantités de bois proviennent du Nouveau-Brunswick et de la Nouvelle-Écosse. Les ressources forestières servent principalement à la production de papier journal, de pâte de bois et de bois d'oeuvre.

L'industrie minière

L'exploitation des ressources du sous-sol constitue une autre activité économique majeure dans toutes les provinces, à l'exception encore une fois de l'Île-du-Prince-Édouard. Le fer, le zinc, le charbon et le gypse sont les principaux minéraux extraits. Des découvertes de pétrole et de gaz naturel ont été faites récemment au large de Terre-Neuve et de la Nouvelle-Écosse. Si ces ressources s'avèrent considérables, leur mise en exploitation pourrait être très profitable à la croissance économique de ces provinces.

L'agriculture

Le développement de l'agriculture sur une grande échelle est assez limité car les conditions du sol sont peu favorables à cette activité. C'est seulement à l'Île-du-Prince-Édouard que le secteur agricole occupe une place de choix en raison de la fertilité des sols. La culture des pommes de terre vient au premier rang des productions de l'île. On y cultive aussi des céréales et on y élève des vaches laitières. En Nouvelle-Écosse, la vallée d'Annapolis, située le long de la baie de Fundy, est reconnue pour ses fruits, notamment les pommes. Au Nouveau-Brunswick, l'agriculture est principalement concentrée dans la vallée de la rivière Saint-Jean. La culture de la pomme de terre et l'élevage y sont pratiqués. À Terre-Neuve, l'agriculture a peu d'importance dans l'économie en raison de la piètre qualité des sols et du relief accidenté de l'île.

Le tourisme

Finalement, l'industrie touristique est un autre élément important de l'économie des provinces de l'Atlantique. La beauté des paysages naturels, les pittoresques villages de pêcheurs, les sites historiques de même que la présence de la mer et de nombreuses plages attirent des visiteurs de partout.

LE MODE DE PEUPLEMENT

La répartition de la population

La population des quatre provinces de la côte atlantique totalise 2 263 000 personnes, soit environ 9% de la population canadienne. Près de 70% de ces personnes demeurent en Nouvelle-Écosse et au Nouveau-Brunswick. La moins populeuse des provinces de l'Atlantique et de tout le Canada est l'Île-du-Prince-Édouard. Cependant, cette dernière possède la plus forte densité de population du pays avec près de 22 habitants au kilomètre carré. Ceci s'explique par la faible étendue de l'île qui est pratiquement toute occupée alors que de grands espaces sont presque inhabités dans chacune des autres provinces.

La ville la plus populeuse est Halifax, capitale de la Nouvelle-Écosse et principal centre financier, industriel et culturel des provinces

de l'Atlantique. St. John's, la capitale de Terre-Neuve et Saint-Jean au Nouveau-Brunswick font aussi partie des centres urbains les plus importants. La moitié de la population des provinces de l'Atlantique demeure en milieu urbain, sauf à l'Île-du-Prince-Édouard où 64% de la population vit en milieu rural. En général, les côtes sont plus peuplées que l'intérieur des terres. Cette situation s'explique notamment parce que le climat y est moins rigoureux et surtout parce que l'accès à la mer y est plus facile.

Les voies de communication

Les ports de Halifax et de Saint-Jean ont une activité fébrile car, étant libres de glace à l'année longue, ils sont ouverts durant douze mois. Le cabotage, c'est-à-dire la navigation à courte distance des côtes, est une activité développée dans la région atlantique en raison des nombreux petits ports qui jalonnent les régions côtières. Le réseau routier et le chemin de fer sont aussi utilisés pour le transport des personnes et des marchandises entre les provinces de la côte atlantique et les autres provinces du Canada. Enfin, l'aéroport international de Gander à Terre-Neuve est une escale importante pour les avions qui traversent l'Atlantique Nord. Les aéroports d'Halifax et de St. John's (T.-N.) ont cependant des activités portuaires plus importantes que l'aéroport de Gander.

177 Village acadien de Caraquet au Nouveau-Brunswick.

178 Village de pêcheurs de Malpèque, Île-du-Prince-Édouard.

179 Halifax, métropole de la côte atlantique

17 LE SUD DE L'ONTARIO

 près le Québec, c'est l'Ontario qui est la plus vaste des provinces canadiennes. Du nord au sud, l'Ontario s'étend sur 1600 kilomètres à partir des Grands Lacs jusqu'aux rives de la baie d'Hudson. La région la plus urbanisée et la plus industrialisée du Canada est la péninsule qui se trouve au sud de cette province. En observant la carte 182,

180 Timbre représentant Pointe-Pelée.

181 Le sud de l'Ontario dans le Canada.

182 Le sud de l'Ontario, principaux traits physiques et humains.

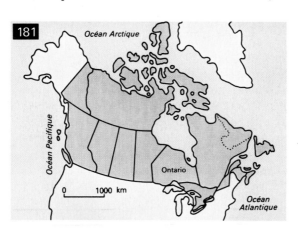

tu peux voir que cette zone est délimitée au nord par la rivière des Outaouais, à l'est par les lacs Ontario et Érié et à l'ouest par le lac Huron. Cette péninsule se termine au parc national de la Pointe-Pelée, l'endroit le plus au sud de notre pays. Même si ce territoire ne représente que moins de 1% de la superficie du Canada, plus du quart de la population canadienne y habite.

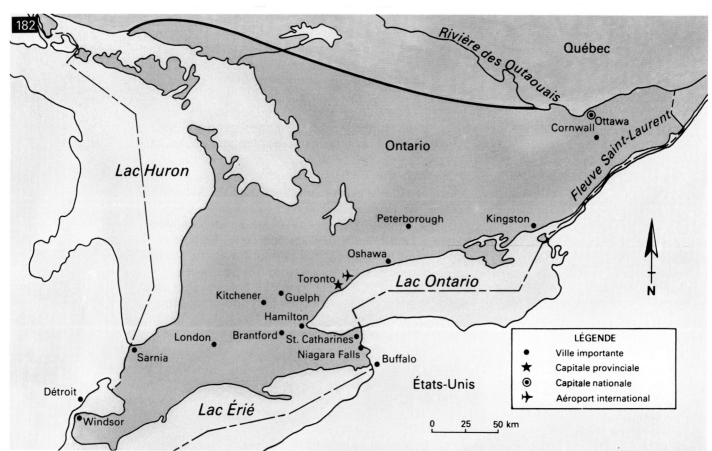

183

Les faits marquants du passé

Les premiers habitants

Lorsque les premiers Européens visitèrent le sud de l'Ontario au début du 17ᵉ siècle, des Amérindiens y étaient déjà bien établis et ce depuis longtemps. Les Hurons et les Iroquois étaient les principaux groupes à habiter le sud de l'Ontario. Ils y vivaient de façon sédentaire, c'est-à-dire qu'ils possédaient des villages permanents. Certes, lors des périodes de chasse, les hommes quittaient le village pour quelque temps, mais y revenaient aussitôt l'activité terminée. Le climat tempéré et la présence d'un sol riche permettait le développement d'une certaine forme d'agriculture. Le maïs, qui constituait l'aliment de base des habitants, était cultivé un peu partout.

Les établissements français

Les Français seront les premiers Européens à explorer la région qui, au 17ᵉ siècle, faisait partie de la Nouvelle-France. Après la fondation de Québec en 1608, Champlain aura l'occasion de visiter cette région à maintes reprises. La possession et le contrôle de ce territoire étaient importants pour la traite des fourrures. Les Français érigent donc, le long des lacs Ontario et Érié, quelques petits forts qui finiront cependant par tomber aux mains des Anglais au milieu du 18ᵉ siècle. Par exemple, le fort Frontenac, construit en 1673, servira de relais pour la route des fourrures. Aujourd'hui, ce fort a fait place à la ville de Kingston. Windsor, le premier établissement agricole de l'Ontario, a aussi été fondé par des Français du Canada au milieu du 18ᵉ siècle.

183 Les Iroquois au 17ᵉ siècle.

184 Toronto, face au lac Ontario, en 1834.

185 Les chutes Niagara sont classées parmi les plus importantes du monde.

La colonisation anglaise
Dès 1784, plusieurs Loyalistes américains, restés fidèles au roi d'Angleterre, viendront s'établir dans la région, qui deviendra la province du Haut-Canada en 1791. Ces Loyalistes viendront accroître le nombre d'habitants de petits centres tels que Kingston, Cornwall et York (Toronto). D'autres immigrants, les Mennonites venus de Pennsylvanie fonderont en 1799 Berlin qui deviendra Kitchener. L'immigration américaine se poursuivra jusqu'en 1812. Par la suite, des immigrants d'origine britannique viendront coloniser la péninsule ontarienne qui est déjà très développée en 1867, au moment de la Confédération.

LES TRAITS PHYSIQUES

Hydrographie
Le sud de l'Ontario est caractérisé par la présence d'un réseau hydrographique développé, qui tout au long de l'histoire de cette province, a joué un rôle considérable dans le peuplement et le développement économique de la région. Les lacs Huron, Érié et Ontario, de même que la Voie maritime du Saint-Laurent, permettent un accès direct soit vers l'océan Atlantique, soit vers le coeur de l'Amérique du Nord. Ces trois grands lacs ainsi qu'une partie du fleuve sont situés sur la frontière canado-américaine, ce qui fait qu'ils appartiennent aux deux pays. La présence de nombreuses grandes villes industrielles le long de ces masses d'eau a eu comme conséquence d'augmenter leur taux de pollution. Par contre, depuis quelques années des progrès ont été faits pour redonner vie à ces lacs qui alimentent 20 millions de personnes en eau potable.

La rivière des Outaouais, au nord de la région, est un autre important cours d'eau. Cependant, la rivière Niagara est sans doute la plus connue puisque c'est à cet endroit que l'on trouve les chutes du même nom. L'érosion, particulièrement importante, fait reculer les chutes Niagara d'environ 1,2 mètre annuellement. C'est ainsi qu'elles se sont déplacées en 12 000 ans de 11 kilomètres de leur lieu d'origine qui était là où se trouve aujourd'hui Queenston.

Climat
Le sud de l'Ontario étant situé loin de la mer, subit l'influence du climat continental humide avec des hivers froids et des étés chauds ainsi que des précipitations assez abondantes.

Végétation et faune
C'est à l'extrême sud de la région que l'on trouve la seule forêt canadienne composée uniquement de feuillus. Ceci s'explique par la fertilité des sols et par la présence d'un climat doux, tempéré par les Grands Lacs, qui offre une saison végétative plus longue. Ce type de forêt renferme des essences telles que l'érable à sucre, l'orme et le frêne. Le noyer noir, le chêne bleu et l'érable noir ne se trouvent que presque exclusivement dans cette région. Par contre, au nord, où les conditions climatiques sont plus rigoureuses, c'est la forêt mixte qui domine avec un mélange de feuillus et de conifères. Avec le développement de l'agriculture et l'expansion des grandes villes, la superficie des forêts a diminué considérablement, causant ainsi de lourds dommages à l'habitat des animaux. Malgré tout, le cerf et de nombreux petits animaux habitent encore le sud de l'Ontario sans oublier les oiseaux migrateurs qui s'y arrêtent au printemps et à l'automne.

Relief
Le sud de l'Ontario fait partie des basses terres du Saint-Laurent et des Grands Lacs. La région ne comporte aucun relief d'importance à l'exception de l'escarpement des chutes Niagara. Grâce à ce relief plat et à la grande fertilité des sols, l'agriculture y est prospère.

186 Forêt de feuillus.

186

187 Usine d'assemblage d'automobiles.

188 Complexe pétrochimique de Sarnia.

LES ACTIVITÉS ÉCONOMIQUES

L'industrie manufacturière

L'économie du sud de l'Ontario est basée tout spécialement sur l'industrie manufacturière. C'est d'ailleurs dans cette région que se trouve le principal centre industriel du Canada qui regroupe les villes de Toronto, St. Catharines, Hamilton et Windsor. La présence de la Voie maritime du Saint-Laurent, des grandes usines sidérurgiques ainsi que la proximité des importants marchés de consommateurs que sont Buffalo, Détroit, Montréal et Toronto ont contribué à la concentration de nombreuses industries dans cette région du Canada. Les systèmes routiers et ferroviaires y sont aussi très développés, ce qui facilite le transport des marchandises de toutes sortes.

C'est au sud de l'Ontario que se trouvent les plus importantes usines d'automobiles du Canada. Les compagnies américaines Ford, Chrysler et General Motors sont installées à Windsor, Oshawa, St. Catharines et Brampton. Ces usines où on assemble des automobiles et où on fabrique des pièces pour celles-ci, fournissent de l'emploi à des milliers de travailleurs et de travailleuses du sud de l'Ontario.

L'industrie sidérurgique

L'industrie sidérurgique a fait d'Hamilton la capitale canadienne de l'acier. Dofasco et Stelco, deux grandes compagnies, y produisent des milliers de tonnes d'acier. Ce produit est obtenu à partir d'un mélange chauffé de minerai de fer de de charbon. Il sert à plusieurs usages, notamment dans la fabrication d'autos, de bateaux et d'avions ainsi que dans la structure de nombreux bâtiments.

Le sud de la province dispose aussi de nombreuses industries chimiques qui fabriquent une gamme étendue de produits utilisés dans plusieurs entreprises. Sarnia, au sud du lac Huron, est le site du plus important centre pétrochimique du Canada.

L'industrie minière

Quant aux minéraux, ils sont assez rares dans le sud de l'Ontario. Le sel, dans la région de Windsor, est l'un des seuls minéraux que l'on exploite en quantité. Il ne faut toutefois pas croire que l'Ontario est pauvre en ressources minérales puisque c'est la province qui renferme la plus grande variété de minéraux au Canada. Ces derniers se trouvent cependant plus au nord dans la région du Bouclier canadien.

L'agriculture

L'agriculture occupe une place non négligeable dans l'économie du sud ontarien. En effet, la grande fertilité des sols, le relief relativement plat et le climat tempéré, font que cette région regroupe la plupart des meilleures terres agricoles de l'Ontario. Ainsi, plus du tiers des récoltes canadiennes (à l'exception des grains) et la majorité du maïs et du tabac proviennent de cette partie du Canada. La zone fruitière, située à l'est d'Hamilton, produit, entre autre, des pommes, des cerises, des pêches et du raisin. On trouve une autre zone fruitière à l'extrême sud de l'Ontario, à proximité de Windsor. On y produit de grandes quantités de légumes tels que le concombre et la tomate. L'élevage de vaches laitières y est aussi très développé.

189 Sidérurgie à Hamilton.

190 Culture commerciale des tomates.

191 Emballage des pêches

192 Toronto et la tour du CN.

193 Upper Canada Village fait revivre la vie rurale de l'Ontario au 19ᵉ siècle.

194 Fête portugaise à Toronto.

Le tourisme

La richesse et la diversité des attraits du sud de l'Ontario ont permis à l'industrie touristique d'occuper une place prépondérante dans l'économie. Ainsi, il est possible, d'une part, de visiter de grandes villes avec leurs nombreuses attractions que ce soit les maisons historiques, les théâtres, les musées, les rues commerciales ou la tour du CN à Toronto. Cette tour, avec ses 553 mètres et ses 2570 marches, constitue la plus haute structure au monde. On peut, d'autre part, sillonner les diverses régions rurales qui évoquent le passé tout comme les parcs à caractère historique. Le réseau hydrographique étant bien développé, il est possible d'y pratiquer plusieurs activités nautiques dans un cadre naturel de toute beauté.

LE MODE DE PEUPLEMENT

Toronto est la capitale de l'Ontario. C'est aussi le principal centre commercial, financier et industriel de cette province. Avec près de trois millions d'habitants, la région métropolitaine de Toronto est la plus populeuse du Canada, dépassant même celle de Montréal. Les industries de l'alimentation, du papier, du vêtement, du transport, de l'électronique, de produits chimiques ainsi que plusieurs autres sont installées dans cette ville. Depuis la Deuxième Guerre mondiale (1939-1945),

195 Hôtel du Parlement à Ottawa.

Toronto a accueilli un nombre considérable d'immigrants qui constituent aujourd'hui près de 50% de la population de la capitale ontarienne. Les communautés italienne, allemande et juive sont parmi les plus importantes.

La ville d'Ottawa, située près de la rivière des Outaouais est la capitale du Canada. C'est dans cette ville que l'on retrouve le Parlement ainsi que plusieurs autres édifices gouvernementaux où travaillent des milliers de fonctionnaires. La région de la capitale nationale qui englobe 24 municipalités, dont Hull au Québec, a une population d'environ 715 000 habitants. Les autres villes ontariennes d'envergure sont Hamilton, North York, Mississauga, London et Windsor.

Même si la majorité de la population du sud de l'Ontario demeure dans les nombreux centres urbains, il n'en demeure pas moins qu'une partie des gens réside dans les régions rurales. Ce sont surtout des agriculteurs et des agricultrices qui, par leur travail, permettent aux citadins de s'approvisionner en aliments frais et sains.

18 LES PRAIRIES

ituée au coeur du Canada, la région des Prairies s'étend sur plus de 1200 kilomètres d'est en ouest. On appelle prairie une surface de terre dépourvue d'arbres et recouverte d'herbes. C'est le type de végétation dominant de cette région unique au Canada. Seuls le sud-ouest du Manitoba, le sud de la Saskatchewan et le sud-est de l'Alberta font partie des Prairies. Le nord de ces provinces en est exclu puisque c'est le domaine de la forêt boréale où la rigueur du climat et la mauvaise qualité des sols limitent le développement humain. Ainsi, peu de personnes demeurent dans le nord de ces provinces, la majorité vivant au sud dans les Prairies.

Le sud de la région est délimité par la frontière canado-américaine le long du 49e parallèle. Bien que les Prairies n'occupent que 8% de la superficie du Canada, c'est dans cette région que l'on trouve 80% des terres agrico-

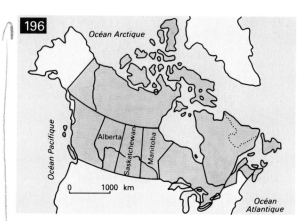

les du pays. S'il en est ainsi, c'est à cause de la grande fertilité des sols qui permet la culture des céréales sur une vaste échelle.

LES FAITS MARQUANTS DU PASSÉ

Les premiers habitants
Les premiers habitants des Prairies, comme

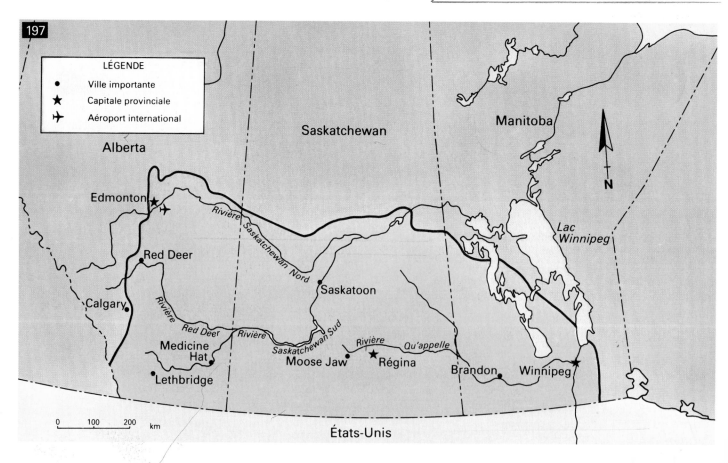

dans la plupart des autres régions canadiennes, ont été les Amérindiens. Au 16ᵉ siècle, quelques tribus telles que les Sioux, les Pieds-Noirs et les Gros-Ventres vivaient dans cette région. Les Assiniboines, venant du territoire américain, viendront s'y établir dès le 17ᵉ siècle. Tous ces groupes d'Amérindiens vivaient avant tout de la chasse au bison qui abondait à cette époque. Cet animal était utilisé pour la nourriture quotidienne et la confection d'objets usuels tels que couvertures, mocassins et tuniques. Au début, la chasse s'effectuait à pied; par la suite, au 18ᵉ siècle, l'arrivée du cheval a facilité cette activité.

Les explorateurs français

Située au centre du continent et loin du coeur de la Nouvelle-France, la région des Prairies ne sera visitée pour la première fois par des Européens qu'au début du 18ᵉ siècle. Pierre de la Vérendrye sera ainsi le premier Français, en 1743, à explorer le territoire qui forme aujourd'hui le sud du Manitoba. Il y

construisit un fort sur la rivière Rouge à l'emplacement actuel de Winnipeg, la capitale du Manitoba.

196 Les Prairies dans le Canada.

197 Les Prairies, principaux traits physiques et humains.

198 Avant l'arrivée des Blancs, des milliers de bisons parcouraient les Prairies.

199 Colons en route vers les Prairies en 1910.

200

La venue d'immigrants européens

La voie ferrée qui permit l'ouverture de nouveaux territoires, facilita l'arrivée de nombreux immigrants en provenance du Québec et de l'Ontario. De plus, le gouvernement canadien encouragea la venue d'Européens en leur donnant 160 acres de terre par famille. Comme les conditions économiques en Europe étaient déplorables à cette époque, plusieurs groupes ethniques dont les Ukrainiens et les Allemands, ou des sectes religieuses comme les Doukhobors et les Mennonites, et bien d'autres viendront s'établir sur les nouvelles terres agricoles des Prairies. La découverte du pétrole au sud de l'Alberta en 1902 et dans la région de Calgary en 1914, attira encore plus d'immigrants dans la région.

200 Arrivée d'immigrants par train en 1910.

201 La tourbe étant un matériau gratuit et abondant, les colons l'utilisent pour construire leur première maison.

La colonisation anglaise

Ce n'est toutefois que vers 1812 que les premiers colons, qui étaient des fermiers venus d'Écosse, vinrent s'établir dans la région de la rivière Rouge. L'arrivée de ces gens provoque des conflits avec les Métis qui habitaient déjà ce coin de terre depuis presque deux siècles. Ces Métis, qui étaient les enfants des coureurs de bois et des femmes amérindiennes, pratiquaient la traite des fourrures et la chasse au bison. Ils n'acceptèrent pas la venue d'immigrants car ces derniers apportaient un nouveau mode de vie en morcelant le territoire pour en faire de petites fermes. Ces luttes n'empêchèrent toutefois pas la venue d'autres colons dans l'Ouest.

La véritable colonisation des Prairies ne viendra qu'au moment de la construction de la première voie ferrée transcontinentale entre 1871 et 1885. Cette voie de communication reliant notre pays d'est en ouest, verra peu à peu, le long de son parcours, naître par exemple les villes de Winnipeg, Régina et Calgary. L'origine de Calgary, en Alberta remonte à 1875, alors que la Police montée y construisit un fort. Cette police était chargée de faire régner l'ordre dans ces nouveaux territoires de colonisation.

LES TRAITS PHYSIQUES

Relief

Le relief des Prairies est caractérisé par son uniformité, c'est-à-dire qu'il ne comprend aucune élévation d'importance. On est en présence d'une plaine plus ou moins onduleuse selon les endroits et qui s'élève au fur et à mesure que l'on se dirige vers l'Alberta. C'est dans cette province, au pied des montagnes Rocheuses que l'on trouve les plus importantes élévations. Ce relief plat et la fertilité du sol ont contribué à faciliter le développement humain et c'est ce qui explique qu'aujourd'hui le territoire des Prairies est entièrement occupé.

201

HOMESTEADING IN SASKATCHEWAN.

La présence de «badlands» est typique de la région. Ces badlands sont des collines isolées aux formes étranges qui ont subi l'érosion des glaciers. On en trouve plusieurs au sud de la Saskatchewan et de l'Alberta. Ces collines renferment quelques-uns des plus importants fossiles de dinosaures de la terre.

Climat

Les précipitations qui tombent sur les Prairies sont peu abondantes en raison de la présence des Rocheuses qui jouent le rôle de barrière climatique. Étant situées loin des océans, les Prairies ont un climat continental sec. Les hivers sont longs et très froids à cause des masses d'air en provenance de l'Arctique. Le chinook, vent chaud qui descend des Rocheuses, exerce cependant une influence adoucissante en hiver et au printemps. Quant aux étés, ils sont relativement courts et très chauds. En dépit des pluies faibles et de la courte saison estivale, l'agriculture est une activité très développée. Ceci s'explique par le fait que la culture du blé, la principale production de la région, exige peu d'eau et une période de croissance limitée. Toutefois, les cultures spécialisées comme celle de la pomme sont très limitées en raison du manque de précipitations.

Végétation et faune

La végétation est, quant à elle, principalement composée d'herbes courtes tout particulièrement à l'extrême sud, près de la frontière canado-américaine où il y a peu de précipitations. Les arbres sont à peu près inexistants en raison du manque d'humitité. Plus au nord, on retrouve la forêt-parc, caractérisée par la présence d'herbes plus hautes et d'arbres le long des cours d'eau. À l'extrémité nord de la région des Prairies, commence la forêt boréale là où le climat est plus rigoureux. Les animaux qui trouvent refuge dans les Prairies font partie de la famille des rongeurs. On retrouve aussi des daims et des antilopes qui sont malheureusement en voie d'extinction. Beaucoup d'oiseaux migrateurs traversent aussi cette région. Au printemps, plusieurs milliers de canards s'arrêtent à Nisk'U, en Saskatchewan, avant de se rendre dans les régions nordiques. À l'automne, ils repartent vers le sud en direction du Texas.

Hydrographie

Les principales rivières des Prairies sont la Saskatchewan, la rivière Assiniboine et son principal affluent la Qu'Appelle. Il y a aussi des centaines de petits lacs qui sont apparus lors du retrait des glaciers qui recouvraient la région il y a très longtemps. Cette eau est importante car elle sert à l'irrigation des terres agricoles et à la production d'électricité.

202 Les «badlands».

203 Terres agricoles des Prairies.

204 Les Prairies en hiver.

205

LES ACTIVITÉS ÉCONOMIQUES

L'industrie minière

L'exploitation des ressources naturelles occupe une place considérable dans le développement économique des Prairies. Ainsi, c'est dans cette région du Canada que l'on trouve les principaux combustibles. Ceux-ci sont situés en majorité en Alberta, qui est la première province productrice de pétrole, de gaz naturel et de charbon. Pour répondre aux besoins de l'industrie pétrolière, Edmonton et Calgary ont plusieurs raffineries pour la transformation du pétrole et du gaz naturel. Des pipelines acheminent ces produits vers Vancouver, l'Ontario et les États-Unis.

La potasse, dont le Canada est le premier producteur mondial, provient presque exclusivement du sud de la Saskatchewan. Ce minéral sert surtout à la fabrication d'engrais pour la fertilisation des terres agricoles. Le sud de la province du Manitoba ne renferme que peu de minéraux, il y en a cependant beaucoup plus au nord de la province qui se trouve dans la région du Bouclier canadien. Seule la production de gypse, que l'on utilise dans l'industrie de la construction, est importante.

206

L'agriculture

L'économie des Prairies est aussi largement axée sur l'agriculture. Grâce notamment au relief plat et à la qualité des sols, cette activité y occupe une place de choix. En effet, c'est dans le sud des trois provinces des Prairies

207

qu'on retrouve la plus grande superficie de terres cultivées au Canada. C'est pour cette raison qu'on appelle cette région «le grenier du Canada». L'agriculture est la principale industrie de la Saskatchewan qui produit plus de 60% de tout le blé canadien. Le blé est la principale céréale cultivée dans les Prairies; on y cultive aussi l'orge, l'avoine, le seigle et la graine de colza. Le réseau ferroviaire est très développé dans la région, tout particulièrement en Saskatchewan, ce qui permet aux agriculteurs d'acheminer leur production vers les ports de Vancouver, des Grands Lacs ou de la baie d'Hudson. De là, les céréales, surtout le blé, sont transportées par bateau vers plusieurs pays dont la Chine et l'URSS. L'industrie laitière est aussi développée dans la région de Winnipeg et d'Edmonton tout comme l'élevage des bovins qui est pratiqué dans les trois provinces.

208

205 Le sous-sol des Prairies est riche en pétrole et en gaz naturel.

206 Ferme des Prairies.

207 La moisson dans les Prairies en 1892.

208 La moisson dans les Prairies de nos jours.

209 Usine de potasse.

210 Située en bordure des Prairies, Calgary doit sa prospérité au pétrole.

L'industrie manufacturière

L'industrie manufacturière dans les Prairies n'est pas aussi développée qu'en Ontario ou au Québec. Elle occupe cependant plusieurs milliers de travailleurs et de travailleuses dans les grandes villes. C'est à Winnipeg, principal centre urbain du Manitoba, qu'on trouve le plus grand nombre d'industries manufacturières des Prairies. Il y a à Winnipeg, entre autres, des usines d'alimentation, de métallurgie, de textile et d'équipement de transport.

LES MODES DE PEUPLEMENT

Même si les Prairies constituent la principale région agricole du Canada, la plupart des gens qui y vivent demeurent dans des villes. Edmonton et Calgary sont les deux principales agglomérations de cette région. Ces deux villes regroupent la moitié de la population albertaine. Chacune possède un secteur manufacturier bien établi. Les industries pétrochimiques y sont très importantes, tout comme la métallurgie, les usines de papier, de transport et de produits électriques. Les industries alimentaires, qui comprennent les abattoirs de bovins, sont nombreuses. Une grande quantité de cette viande est exportée au Québec.

Depuis quelques années, ces deux villes ont connu un essor considérable en raison du boom pétrolier de la fin des années 1970. Ainsi, Calgary est devenue aujourd'hui la capitale canadienne du pétrole et le principal centre financier des Prairies grâce à la venue de nombreuses banques, de compagnies pétrolières et d'assurances. Pétro-Canada, compagnie pétrolière appartenant au gouvernement fédéral, a ses bureaux à Calgary dans un édifice de 52 étages.

Aujourd'hui, la population des provinces des Prairies est composée d'une multitude de groupes ethniques dont plusieurs sont arrivés vers la fin du 19e siècle, au moment où le territoire de la région s'ouvrait à la colonisation. Grâce au train transcontinental, plusieurs Européens venant entre autre d'Allemagne, d'Ukraine, de Pologne et de Scandinavie, se rendirent dans les Prairies pour fuir les mauvaises conditions économiques ou politiques de leur pays d'origine. Les emplois reliés à l'agriculture et au chemin de fer étaient à l'époque, leurs principales activités. Aujourd'hui, on retrouve ces groupes autant dans les villes qu'en milieu rural. Il ne faut pas oublier que plus de 42% des autochtones du Canada vivent au Manitoba, en Saskatchewan et en Alberta. Ils habitent surtout au nord de ces trois provinces plutôt que dans la région des Prairies.

211 Usine pétrochimique de Calgary.

212 Blancs et Amérindiens.

19 LES ROCHEUSES

élèbre pour la beauté de ses paysages, les Rocheuses constituent l'une des régions les plus connues du Canada. Ces montagnes ne sont toutefois pas limitées qu'à notre pays. Elles font partie de la chaîne de montagnes qui s'étend en fait sur plus de 18 000 kilomètres de la Terre de Feu en Amérique du Sud jusqu'en Alaska au nord. Au Canada, les Rocheuses font partie d'un vaste ensemble montagneux qui porte le nom de Cordillère de l'Ouest. Celle-ci comprend la chaîne insulaire qui inclut l'île de Vancouver, la chaîne côtière, les plateaux intérieurs et finalement, les montagnes Rocheuses situées à l'est de cet ensemble. Les Rocheuses occupent la majeure partie de l'est de la Colombie-Britannique ainsi que le sud-ouest de l'Alberta. Le charme et la grandeur des montagnes, des glaciers,

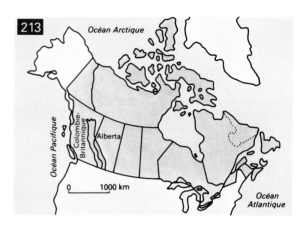

des lacs et des parcs nationaux en font une région unique au pays.

LES FAITS MARQUANTS DU PASSÉ

Les premiers habitants

Il semble que les Amérindiens aient été les premiers à fréquenter les montagnes Rocheuses. Des fouilles archéologiques ont permis d'identifier des traces de vie humaine vieilles de 11 000 ans. Beaucoup plus près de nous, d'autres Amérindiens comme les Kootenays, les Assiniboines et les Cris fréquenteront cette région montagneuse pour y chasser ou pour y trouver refuge.

213 Les Rocheuses dans le Canada.

214 Timbre représentant le parc de Banff.

215 Rencontre d'Assiniboines.

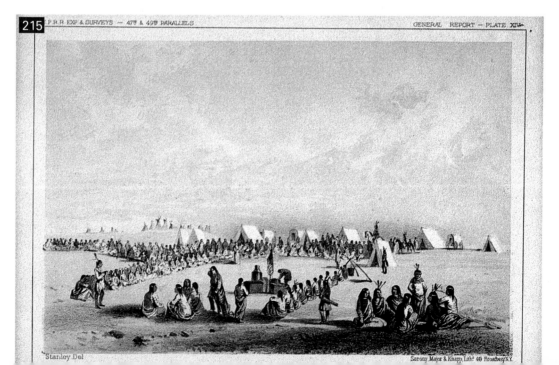

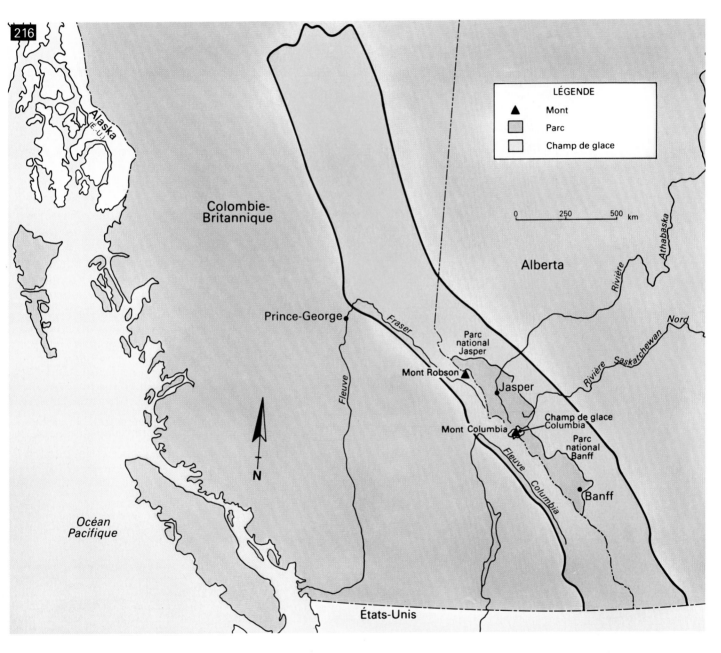

216

Alaska
(É.-U.)

Colombie-
Britannique

Alberta

Prince-George

Fraser

Fleuve

Parc
national
Jasper

Mont Robson ▲

Jasper

Rivière Saskatchewan

Nord

Rivière Athabaska

Mont Columbia

Champ de glace
Columbia

Parc
national
Banff

Fleuve Columbia

Banff

N

Océan
Pacifique

États-Unis

Les explorateurs européens

Le premier Européen à apercevoir les Rocheuses canadiennes, en 1743, fut Pierre de la Vérendrye. Plus tard, vers la fin du 18ᵉ siècle, certains explorateurs tels que David Thompson et Alexander Mackenzie franchiront cette chaîne de montagnes pour atteindre l'océan Pacifique à l'ouest. Fort George, situé sur l'emplacement actuel de la ville de Prince George en Colombie-Britannique, fut l'un des premiers endroits de la région habités par des Européens en 1806. Ce fort, dirigé par Simon Fraser, servait principalement de poste de traite pour les fourrures.

216 Les Rocheuses, principaux traits physiques et humains.

217 Dans les années 1881-1885, on a percé des tunnels dans les Rocheuses pour permettre le passage des trains.

218 Hôtel du Canadien Pacifique à Banff.

219 Jasper en 1914.

La colonisation anglaise

La véritable colonisation des Rocheuses ne commencera toutefois qu'au début des années 1880 à l'occasion de la construction du chemin de fer transcontinental. Au moment d'atteindre les Rocheuses en 1883, deux hommes travaillant à la construction de la voie ferrée, firent la découverte de sources d'eau fumantes et sulfureuses au mont Sulphur dans la région de Banff. Cette découverte fut suffisante pour faire dire au riche financier Cornelius Van Horne, alors président du Canadien Pacifique, que «si l'on ne pouvait pas exporter ces paysages, on pouvait quand même importer les visiteurs». C'est ce qu'il fit en construisant de grands hôtels à l'intérieur de ce qui allait devenir le premier parc national du Canada en 1885. Aujourd'hui, les limites du parc de Banff sont beaucoup plus étendues qu'elles ne l'étaient à sa fondation. La ville de Banff, qui s'est développée avec la venue des touristes, y est située.

Immédiatement au nord de Banff, se trouve le parc national de Jasper, le plus vaste des Rocheuses. Ce parc, créé en 1907, englobe la ville de Jasper qui n'était au début du siècle qu'une halte pour les trappeurs, les géologues et les prospecteurs.

LES TRAITS PHYSIQUES

Relief

Le relief des montagnes Rocheuses est l'un des plus impressionnants du Canada. Ces montagnes, plus jeunes que les Appalaches, ont plusieurs sommets qui dépassent 3000 mètres. Avec ses 3954 mètres, le mont Robson en Colombie-Britannique, est le plus élevé des Rocheuses. Du côté de l'Alberta, c'est le mont Columbia qui possède la plus haute altitude avec 3747 mètres.

L'ensemble des montagnes Rocheuses s'est formé à la suite de divers mouvements de l'écorce terrestre il y a plusieurs millions d'années. Par la suite, les périodes de glaciation, l'eau et le vent ont contribué pendant plusieurs siècles à sculpter de nombreuses vallées ainsi que diverses formes de montagnes.

Sédiments glaciaires: *dépôts naturels laissés par les glaciers.*

Hydrographie

Les eaux de fonte provenant des glaciers ont donné naissance à de majestueuses étendues d'eau comme le lac Louise et le lac Moraine. Si un jour tu vas dans les Rocheuses, tu remarqueras que la couleur de l'eau de ces lacs est d'un vert émeraude. Ceci est dû à la présence de **sédiments glaciaires** provenant des montagnes et transportés par les eaux d'écoulement.

220 Mont Robson.

221 Reflet des glaciers dans l'eau du lac Louise.

222 Les Rocheuses au printemps.

223 Champ de glace Columbia.

Aujourd'hui on peut encore observer les vestiges de glaciers très anciens. Ainsi, le champ de glace Colombia, situé à la limite des parcs de Banff et de Jasper, est le plus vaste des Rocheuses. Ce champ de glace constitué de neige accumulée depuis des siècles, a une épaisseur d'environ 90 mètres et reçoit tout près de 5 mètres de neige par année. Sous l'effet de son propre poids, cette neige se transforme en glace créant ainsi le glacier. À certains endroits sur les glaciers il y a de la neige qui est tombée voilà plus de 150 ans. Les glaciers Columbia, Athabaska ainsi qu'une dizaine d'autres prennent leur origine dans le champ de glace Columbia. La majorité des glaciers, à l'exception d'un seul, sont en régression. Par exemple, le glacier Columbia recule d'environ sept mètres chaque année.

La fonte de ces glaciers amène la création de rivières et alimente les nombreux lacs. Ainsi, la rivière Saskatchewan Nord, qui serpente dans les trois provinces des Prairies pour se jeter dans la baie d'Hudson, prend son origine dans les eaux de fonte du glacier Saskatchewan. Les autres importants cours d'eau qui ont leur source dans les montagnes Rocheuses sont les fleuves Fraser, Columbia et la rivière Athabasca.

Climat

En raison de l'altitude relativement élevée des Rocheuses, on y retrouve un climat de montagne avec des hivers froids et longs. Les vents de l'ouest amènent des précipitations qui sont assez abondantes, tout particulièrement sur les versants ouest des montagnes. En dépit des hivers rigoureux, il ne faut pas croire que les étés sont absents. Ceux-ci sont en effet assez courts mais les températures y sont souvent élevées. Les fortes chaleurs de l'été sont susceptibles de provoquer des feux de forêts parfois très dévastateurs.

En raison de la vaste étendue des forêts, les montagnes Rocheuses abritent une multitude d'animaux qui se sont adaptés au climat de cette région. Par exemple, les ours, les chevreuils, les orignaux, les chèvres et les loups sont autant d'animaux qui circulent librement dans les Rocheuses et les parcs nationaux. Seule la présence de nombreux visiteurs à l'intérieur des différents parcs nationaux risque de nuire à la faune car, en dépit des règlements, plusieurs personnes nourissent les animaux.

224 Vallée dans les Rocheuses.

225 Chèvres de montagnes.

226 Forêt subarctique.

227 Ski dans les Rocheuses.

Végétation et faune

La forêt des Rocheuses est essentiellement composée de conifères tels que le thuya géant, la pruche de l'Ouest, le sapin Douglas, l'épinette et le pin. Tous ces arbres peuvent supporter de basses températures. Sur certains sommets montagneux élevés, aucun arbre ne réussit à croître en raison des vents forts, des températures très froides et de la raideur des pentes. Seules quelques herbes peuvent y vivre. Par contre, durant l'été, des dizaines d'espèces de plantes jalonnent le flanc des vallées embellissant ainsi les paysages.

LES ACTIVITÉS ÉCONOMIQUES

Le tourisme

Le tourisme est la principale activité économique des Rocheuses. Depuis la fin du 19e siècle, la beauté et la grandeur des paysages de cette région a attiré de nombreux visiteurs de toutes les parties du Canada et des autres pays.

228 Les Rocheuses.

229 Jasper en été.

228

Les parcs nationaux de Jasper et de Banff constituent les principaux centres d'intérêts des Rocheuses, et ce, autant durant l'été que l'hiver. Les touristes sont en mesure de participer à de nombreuses activités: faire du ski sur des pentes longues de plus de six kilomètres, faire de la randonnée pédestre, visiter les glaciers en motoneige, observer les animaux en liberté, se baigner dans les sources d'eau chaude, etc.

L'industrie minière et l'industrie forestière

En plus du tourisme, l'industrie minière est quelque peu développée dans la partie sud des Rocheuses du côté de la Colombie-Britannique. On y extrait du plomb, du zinc, de l'argent ainsi que du soufre et du gypse.

L'industrie forestière est aussi présente dans certains villages. Les coupes de bois s'effectuent non pas sur les sommets, mais dans les vallées, là où la végétation est plus abondante.

LE MODE DE PEUPLEMENT

On ne retrouve aucune grande ville industrielle dans les Rocheuses mais plutôt des petites villes et des villages. Les villes de Banff et Jasper, situées en Alberta, ont respectivement 4000 et 3500 habitants qui travaillent en majorité dans les divers secteurs de l'industrie touristique: hôtels, restaurants, discothèques, magasins de sport, boutiques de souvenirs, etc. Quant aux villages, ils dépendent en grande partie de l'industrie forestière.

229

20 L'ARCTIQUE

 n raison de son éloignement des grandes villes du sud et de son territoire immense, l'Arctique canadien est mal connu de plusieurs d'entre nous. Il n'en demeure pas moins que la beauté et la rigueur de ce milieu en font une région fascinante.

L'Arctique est habituellement défini comme étant la région située au nord de la limite des arbres. L'Arctique occupe près du tiers du territoire canadien. Il couvre le nord des Territoires du Nord-Ouest et du Yukon, une partie du Nouveau-Québec et du Labrador et toutes les îles de l'archipel arctique, à l'exception du Groenland qui appartient au Danemark. Les

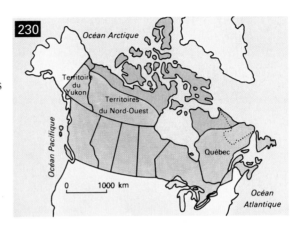

230 L'Arctique dans le Canada.

231 L'Arctique, principaux traits physiques et humains.

plus grandes îles du Canada sont dans cette région. Ce sont les îles d'Ellesmere, de Victo-

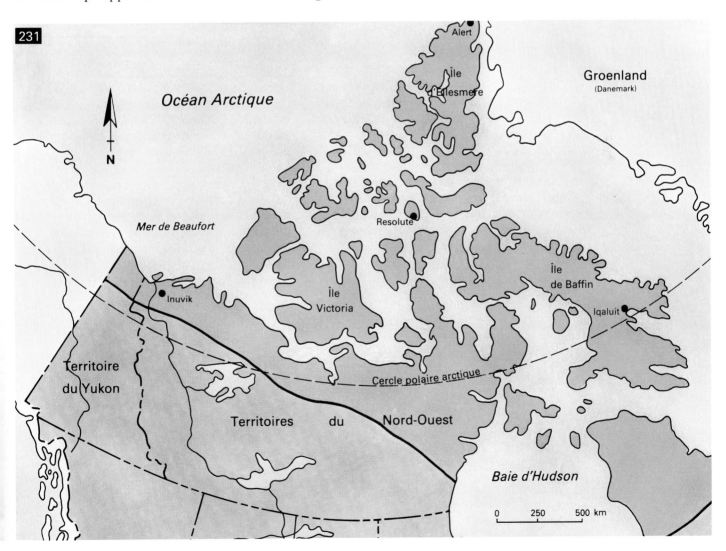

232 Inuit au 16ᵉ siècle.

233 Explorateur sur le Grand lac des Esclaves.

LES FAITS MARQUANTS DU PASSÉ

Selon les archéologues, l'Arctique est habité depuis plus de 5000 ans. Quelques civilisations ont vécu dans cette région dont la plus connue est celle de Thulé. Les gens de cette civilisation sont les ancêtres directs des Inuit qui habitent aujourd'hui l'Arctique.

Au 16ᵉ siècle, à l'arrivée des Européens en Amérique, les Inuit vivaient le long des côtes nordiques afin de mieux profiter des ressources offertes par la mer. Le phoque, le morse et l'otarie procuraient, entre autres, de la nourriture pour les personnes et des peaux pour confectionner des vêtements et des tentes. Celles-ci étaient utilisées en été lorsque les températures étaient un peu plus élevées. De plus, l'huile de phoque était utilisée pour le chauffage et l'éclairage des tentes ou des iglous.

ria et de Baffin. Le gouvernement du Canada a d'ailleurs aménagé sur cette dernière le parc national de Auyuittuq, le seul au nord du cercle polaire.

Les richesses de l'océan Arctique intéressent grandement le gouvernement canadien et les compagnies pétrolières. En effet, selon les recherches effectuées à ce jour, la mer de Beaufort renfermerait d'immenses nappes de pétrole.

D'autres groupes, par contre, vivaient à l'intérieur des terres, dans la toundra, et se nourrissaient de viande de caribou, de poisssons et, durant la saison estivale, de baies. Les Inuit étaient d'excellents artisans puisqu'ils travaillaient la pierre, les os, le bois d'épave pour en faire des outils, des armes ainsi que des objets d'utilité courante. On constate donc que ce peuple a su s'adapter à un environnement des plus difficiles et profiter de toutes les ressources offertes par le milieu.

234 -40 °C à Iqaluit.

Les explorateurs européens

Jusqu'au 16e siècle, les Inuit seront les seules personnes à fréquenter les rivages arctiques canadiens. C'est vers cette époque que les premiers Européens tenteront de découvrir et de franchir le passage du Nord-Ouest dans l'espoir d'atteindre l'Asie le plus rapidement possible. En 1576, Martin Frobisher sera l'un des premiers Blancs à parvenir à la baie qui porte aujourd'hui son nom. D'autres explorateurs comme les Hudson, James et Baffin, tenteront également leur chance dans ces froides contrées.

Plusieurs voyages d'exploration se termineront en catastrophe. Celui de John Franklin est l'un des plus tragiques. Partis de Londres en 1845 avec deux navires, Franklin et ses hommes périrent dans les glaces au cours de l'été 1847 et du printemps 1848. Pendant les vingt années qui suivirent ce drame, plusieurs expéditions partirent à la recherche des naufragés qui restèrent introuvables. Ce n'est qu'en 1984 qu'un anthropologue fit la découverte d'un corps bien conservé par le froid à l'île Beckey. Ce cadavre serait celui d'un sous-officier qui accompagnait Franklin. Il aura donc fallu attendre tout près de 140 ans avant d'en savoir plus long sur ce qui était arrivé à l'équipage du capitaine Franklin. Le passage du Nord-Ouest vers l'Asie ne sera finalement franchi pour la première fois qu'en 1906 par l'explorateur norvégien Amundsen.

LES TRAITS PHYSIQUES

Climat, relief et hydrographie

Étant donné que le territoire de l'Arctique se situe de chaque côté du cercle polaire, le climat y est très rigoureux. De plus, la région est fortement influencée par les courants marins froids du Labrador et de l'Arctique. Ainsi, sur la majorité des îles situées au nord, les hivers sont très longs, les précipitations sont faibles et les températures sont au-dessous du point de congélation pratiquement toute l'année sauf durant quelques jours en été. De plus, l'absence de relief important favorise la poussée de vents forts. Les plus hauts sommets de l'Arctique, les Innuitiennes, sont situées sur les îles de Baffin et d'Ellesmere. Elles atteignent une hauteur maximale de 2760 mètres.

235

On compare souvent les îles de l'Arctique à un désert polaire puisqu'il ne tombe en moyenne que 18 centimètres de neige et de pluie par année, ce qui ressemble aux conditions que l'on trouve dans le désert du Sahara, en Afrique. De novembre à février, cette région est plongée dans la noirceur en raison de sa situation à l'extrême nord de la planète. L'été, c'est le contraire qui se produit et il y fait clair 24 heures par jour.

Un peu plus au sud, le long des côtes du Labrador, du Nouveau-Québec et des Territoires du Nord-Ouest, les hivers sont aussi longs et très froids mais l'été dure quelques semaines et les précipitations sont un peu plus abondantes qu'à l'extrême nord.

Végétation et faune

À cause de la rigueur du climat, le sol de l'Arctique est gelé en permanence, c'est ce qu'on appelle le pergélisol. Le peu de précipitations et la pauvreté des sols, ajoutés aux conditions climatiques très rigoureuses, limitent considérablement la croissance de la végétation. Ainsi, aucun arbre ne réussit à pousser adéquatement. Seuls quelques arbres nains, comme le bouleau, survivent. Quant aux plantes, on en trouve quelques-unes qui parviennent à croître, là où le sol dégèle en surface durant les quelques semaines du court été polaire. Les lichens, dont certains ne poussent que de trois centimètres par 1000 ans, les mousses et quelques fleurs de petite taille, parfois très colorées, agrémentent les paysages désolés de l'Arctique.

236

Quant à la faune, elle est représentée par plusieurs espèces. L'ours polaire, le plus grand prédateur de l'Arctique, le phoque et le morse sont quelques-unes des espèces qui vivent le long des côtes arctiques, là où la nourriture est plus abondante. Le caribou, le renard arctique, le loup, le boeuf musqué et le carcajou habitent aussi ces froides contrées. Tous ces animaux sont très bien adaptés à ce climat extrême qui est un des plus rigoureux de notre planète. C'est grâce à eux que les peuples du Grand Nord ont pu survivre. De nombreuses espèces d'oiseaux venant de plusieurs pays fréquentent l'Arctique durant l'été et retournent vers le sud lorsque l'hiver approche.

LES ACTIVITÉS ÉCONOMIQUES

Les activités traditionnelles et les nouveaux emplois

Dans le passé, les Inuit vivaient de façon plus autonome puisqu'ils exploitaient au maximum les ressources de leur milieu et entretenaient peu de contacts avec les autres peuples du Canada. De nos jours, la situation a beaucoup changé. Bien sûr, il y a encore plusieurs personnes qui vivent de leur métier traditionnel, la chasse, la pêche et le piégeage. Par contre, les nombreux services offerts par le gouvernement canadien et la mise en valeur des ressources du sous-sol ont contribué à créer de nouveaux emplois et à changer le mode de vie des Inuit. Aujourd'hui, plusieurs d'entre eux travaillent comme guides ou sont embauchés par les compagnies pétrolières qui effectuent de la prospection dans la mer de Beaufort et les îles de l'Arctique où l'on trouve d'importantes réserves de pétrole et de gaz naturel.

243 Les Inuit opèrent leur propre compagnie d'aviation.

244 Village inuit.

245 Intérieur d'une maison inuit.

Les coopératives

Une bonne partie des Inuit travaillent dans des coopératives qu'ils dirigent eux-mêmes. Certaines coopératives exploitent des magasins, des hôtels, des compagnies d'aviation, des pêcheries; d'autres assurent divers services gouvernementaux comme les services de santé et d'éducation. Il existe aussi des coopératives qui produisent et mettent en marché des objets d'art tels que des sculptures de pierre, d'os et d'ivoire. Les Canadiens et les Canadiennes de toutes les régions du pays peuvent ainsi admirer dans toute sa splendeur l'art inuit.

Grâce aux satellites de communication qui sont en orbite autour de la terre, les Inuit opèrent depuis 1982 leur propre réseau de télévision qui offre des émissions d'intérêt pour les communautés des régions nordiques. Ils peuvent aussi capter des émissions de télévision et de radio en provenance des grandes villes du Sud.

LE MODE DE PEUPLEMENT

La répartition de la population

Si tu observes la carte 231, tu constates qu'il existe plusieurs petits villages répartis un peu partout dans l'Arctique. Le village le plus au nord est Alert, situé à l'extrême nord de l'île d'Ellesmere. Alert n'est pas un village ordinaire puisqu'il abrite une base des forces armées canadiennes ainsi qu'un poste de recherches scientifiques. Resolute est le principal centre de ravitaillement pour les îles de l'Arctique.

Inuvik est un autre village, localisé dans l'ouest de l'Arctique. Avec une population d'environ 3300 habitants, cette agglomération joue le rôle de centre administratif et de point de distribution de la marchandise pour les villages environnants. C'est également à cet endroit qu'arrivent toutes les fourrures recueillies dans l'Arctique de l'Ouest avant d'être acheminées vers le sud. Inuvik possède, comme la plupart des autres villages, la majorité des services essentiels comme les soins de santé, l'enseignement primaire, l'électricité et différents moyens de communication.

Les moyens de communication

Les déplacements dans l'Arctique s'effectuent principalement en motoneige et en véhicule tout terrain sur les courtes distances. Pour les longs voyages, il faut utiliser l'avion. Une soixantaine de petits aéroports relient les différents coins de ce vaste territoire.

Le navire est aussi un autre moyen de transport que l'on utilise de juillet à octobre alors que la mer est à peu près libre de glace. Pendant cette période, l'est de l'Arctique est approvisionné par des bateaux en provenance de Montréal. Tous les types de marchandises sont expédiés dans l'Arctique mais ce sont les produits pétroliers qui dominent. On s'en sert surtout pour chauffer les maisons et faire fonctionner les divers types de véhicules motorisés. Quant aux villages de l'Arctique de l'Ouest, ils sont desservis à partir de Yellowknife. Les bateaux quittent cette ville et longent le fleuve Mackenzie qui se jette dans la mer de Beaufort. Il arrive fréquemment que les brise-glaces de la garde côtière canadienne doivent intervenir pour libérer les navires immobilisés par les glaces, tout particulièrement vers la fin de la période navigable, à l'automne.

246 Dans l'Arctique, la motoneige remplace l'automobile.

247 Artisane inuit à Cape Dorset.

248 Village de Resolute.

249 Base militaire et de recherche d'Alert.

ACTIVITÉS DE SYNTHÈSE

Attention! Tu peux te référer aux illustrations et aux textes des dossiers 16 à 20 pour réaliser les activités de synthèse.

1. Avec les camarades de ta classe, monte une exposition sur les régions du Canada à l'intention des élèves des autres classes et des parents.

   Pour monter votre exposition, vous pouvez utiliser les travaux réalisés en classe (tableau, montage de dessins, album, montage de diapositives, affiches, etc.) et d'autres documents qui portent sur l'une ou l'autre des régions du Canada.

   Durant l'exposition, prépare-toi à jouer le rôle d'agent(e) d'information et à répondre aux questions des visiteurs.

2. Prépare un dépliant touristique sur l'une ou l'autre de ces régions du Canada: la côte atlantique, le sud de l'Ontario, les Prairies, les Rocheuses, l'Arctique.

   Ton document doit contenir les informations suivantes en rapport avec la région choisie:

   a) sa situation par rapport au Québec;

   b) sa distance approximative par rapport au Québec;

   c) les meilleurs moyens de transport pour s'y rendre;

   d) une chose importante à y voir;

   e) une chose importante à y faire.

3. À partir d'une carte muette du Canada reproduite sur une pellicule d'acétate, agrandis cette carte à l'aide d'un diascope et trace-la sur une grande surface de papier collée sur un mur de ta classe.

   Sur cette carte grand format, délimite les régions suivantes: la côte atlantique, le sud de l'Ontario, les Prairies, les Rocheuses, l'Arctique et identifie-les.

   À l'intérieur de l'espace occupé par chaque région, illustre à l'aide de dessins ou de découpures, une caractéristique importante de cette région se rapportant à: son passé, ses traits physiques, ses activités économiques, sa population.

BILAN D'APPRENTISSAGE

Attention! Tu peux te référer aux illustrations et aux textes des dossiers 16 à 20 pour réaliser le bilan d'apprentissage.

DOSSIERS 16 à 20

1. Reproduis ce tableau dans ton cahier et indique par un crochet la région du Canada qui correspond aux caractéristiques suivantes:

Caractéristiques	Côte atlantique	Sud de l'Ontario	Prairies	Rocheuses	Arctique
1.1 région où est concentrée l'industrie automobile					
1.2 région peuplée en majorité d'Inuit					
1.3 région baignée par l'océan Atlantique					
1.4 région la plus peuplée du Canada					
1.5 région agricole qui produit le plus de blé au Canada					
1.6 région où l'on trouve les parcs les plus fréquentés au Canada					
1.7 région où l'on produit du pétrole et du gaz naturel en abondance					
1.8 région où l'on capture d'énormes quantités de morues					
1.9 région touristique célèbre pour ses lacs et ses montagnes					
1.10 région couverte en grande partie par la toundra					

2. Identifie les deux régions du Canada où l'exploitation de la faune fournit aux gens des revenus importants.

   a) La côte atlantique;

   b) le sud de l'Ontario;

   c) les Prairies;

   d) les Rocheuses;

   e) l'Arctique.

3. Identifie les trois régions du Canada où l'agriculture occupe une partie de la population.
   a) La côte atlantique; b) le sud de l'Ontario; c) les Prairies;
   d) les Rocheuses; e) l'Arctique.

4. Identifie les deux régions du Canada où la plaine est la forme dominante du relief.
   a) La côte atlantique; b) le sud de l'Ontario; c) les Prairies;
   d) les Rocheuses; e) l'Arctique.

5. Parmi les causes suggérées, choisis celle qui explique le mieux chacun des faits mentionnés.

   5.1 De la base au sommet des Rocheuses, la forêt de conifères est progressivement remplacée par la toundra.
   a) Les pluies abondantes au sommet des montagnes Rocheuses favorisent la croissance de la toundra.
   b) Les températures plus basses au sommet des montagnes Rocheuses ne permettent pas aux conifères de pousser.
   c) Les chèvres de montagnes préfèrent la toundra à la forêt de conifères.
   d) Le soleil est trop rapproché du sommet des montagnes Rocheuses pour permettre aux conifères de grandir.

   5.2 Les Prairies sont le grenier à blé du Canada.
   a) Les terres agricoles des Prairies sont vastes et fertiles.
   b) Les gens des Prairies préfèrent la campagne à la ville.
   c) Le climat humide favorise la croissance du blé.
   d) Les fermiers des Prairies consomment beaucoup de pain.

6. Explique dans tes mots un lien existant entre les traits physiques et humains du sud de l'Ontario et la présence d'un grand nombre d'industries dans cette région.

7. Explique dans tes mots un lien existant entre les traits physiques et humains de la côte atlantique et la pêche commerciale dans cette région.

8. Reproduis ce tableau dans ton cahier et complète-le en associant chaque région à un produit caractéristique.

9. Raconte dans tes mots l'arrivée d'un groupe d'immigrants dans les Prairies.

10. Parmi les photos de la page 102, identifie celle qui illustre un paysage de ces régions:
    a) la côte atlantique; b) le sud de l'Ontario; c) les Prairies;
    d) les Rocheuses; e) l'Arctique.

Région	Produit
Côte atlantique	
Sud de l'Ontario	
Prairies	
Rocheuses	
Arctique	

THÈME **D**

VIVRE EN DÉMOCRATIE

Une nouvelle exploration!

Ce que j'en sais...
Ce que j'en pense...

As-tu déjà entendu parler du gouvernement?
Quel gouvernement connais-tu?

D'après toi, à quoi sert le gouvernement?
A-t-il une grande influence sur le mode de vie
des gens? Explique ce que tu en penses.

Dans les autres pays, est-ce que le gouvernement traite les citoyens et les citoyennes de
la même façon que le gouvernement du
Canada? Discutes-en avec tes camarades en
donnant quelques exemples.

Ce que je veux explorer...

Qu'aimerais-tu explorer afin de mieux comprendre l'influence du gouvernement sur la
vie des citoyens et des citoyennes? Quels
moyens prévois-tu utiliser pour trouver des
réponses à tes questions?

21 LES DIVERS GOUVERNEMENTS AU CANADA

Quels services offrent-ils?

A C T I V I T É S

JE RÉFLÉCHIS...

1. Observe les photos 251 à 256. Quel titre pourrais-tu donner à cet ensemble de photos afin de résumer leur contenu?
2. D'après toi, qui est responsable de l'organisation des services illustrés dans ce dossier?
3. Selon toi, le gouvernement a-t-il une influence sur ta vie, celle des membres de ta famille ou celle des gens de ton milieu? Comment se manifeste cette influence?

JE VÉRIFIE MES IMPRESSIONS...

4. À partir de ton expérience et en interviewant des gens autour de toi, identifie des services gouvernementaux dont tu profites ou qui profitent aux membres de ta famille et aux gens de ton milieu.
5. Quel niveau de gouvernement organise chacun des services identifiés à l'étape précédente?
6. Sur quels territoires sont offerts les services de chaque niveau de gouvernement?
7. À l'aide des informations de ce dossier et de celles que tu trouveras dans les pages bleues d'un annuaire téléphonique, complète la liste des services offerts par les divers niveaux de gouvernement au Canada.
8. Parmi les services publics offerts par les divers niveaux de gouvernement au Canada, trouves-en deux qui sont organisés exclusivement par le gouvernement: a) fédéral; b) provincial; c) municipal.

J'UTILISE MES DÉCOUVERTES...

9. Sur un tableau-synthèse semblable à celui-ci, illustre à l'aide de dessins ou de découpures quelques services offerts à la population par les divers niveaux de gouvernement au Canada.

SERVICES PUBLICS OFFERTS À LA POPULATION			
Gouv. fédéral	Gouv. provincial	Gouv. municipal	Gouv. scolaire
territoire: _____	territoire: _____	territoire: _____	territoire: _____

10. À partir du tableau-synthèse, quelles conclusions dégages-tu au sujet des divers niveaux de gouvernement au Canada ainsi que sur leur influence sur ta vie, celle des membres de ta famille et celle des gens de ton milieu?

Il y a au Canada quatre niveaux de gouvernements. Le gouvernement fédéral qui s'occupe des affaires touchant l'ensemble du pays; les gouvernements provinciaux qui gèrent les affaires des provinces; les gouvernements municipaux qui s'occupent des affaires des villes; les conseils scolaires qui voient au bon fonctionnement des commissions scolaires.

UN FONCTIONNEMENT DÉMOCRATIQUE

Le Canada est un pays démocratique. Il est démocratique parce que tous les citoyens et toutes les citoyennes de notre pays peuvent choisir librement les gens qui les représentent au sein du gouvernement. Ce choix s'effectue par le biais d'élections qui se tiennent aux niveaux fédéral, provincial, municipal et scolaire. Ainsi, ce sont tous les Canadiens et toutes les Canadiennes qui, dans leur ensemble, élisent le parti politique qui gouvernera le Canada. Au niveau provincial, les habitants de chaque province se choisissent un gouvernement. Lors d'élections municipales, les citoyennes et les citoyens de chaque municipalité votent pour élire un maire ou une mairesse ainsi que des conseillères et des conseillers municipaux. Le même processus est suivi au moment des élections scolaires quand les gens vivant sur le territoire d'une commission scolaire sont appelés à élire des commissaires d'école. Lors de ces diverses élections, il peut y avoir plusieurs candidates et candidats qui veulent se faire élire. Chacune de ces personnes est libre de proposer les idées qui lui semblent les meilleures pour bien administrer le pays, la province, la municipalité ou la commission scolaire.

250

251

250 Intérieur de la Chambre des Communes.

251 Monnaie canadienne.

252 Navire affecté à la surveillance des eaux territoriales canadiennes.

LE GOUVERNEMENT FÉDÉRAL

Le gouvernement fédéral est dirigé par le premier ministre. Ce dernier travaille à la Chambre des Communes à Ottawa où se réunissent les députés qui ont été élus. C'est à cet endroit que sont votées les diverses lois canadiennes. À la Chambre des Communes, il y a le parti au pouvoir, c'est-à-dire celui qui a fait élire le plus de députés lors des élections fédérales, et les députés indépendants ou membres de d'autres partis politiques qui forment l'opposition. Le premier ministre est choisi par les membres de son parti et c'est lui qui choisit les ministres. La plupart des ministres s'occupent d'un ministère en particulier. Par exemple, il y a le ministère des Finances, le ministère de la Défense nationale, le ministère des Transports, etc.

Par le biais de ses ministères et des milliers de fonctionnaires qui y travaillent, le gouvernement fédéral offre une gamme de services aux habitants de toutes les régions du pays.

Par exemple, c'est lui qui s'occupe de réglementer le transport maritime, aérien et ferroviaire. D'ailleurs, les principaux ports et aéroports du Canada appartiennent au gouvernement fédéral. Ce dernier s'occupe également du service postal, de la monnaie, de la protection du territoire canadien contre des envahisseurs ainsi que des relations entre le Canada et les autres pays.

252

253 Soins de santé.

254 Service d'éducation au primaire.

LE GOUVERNEMENT PROVINCIAL

Les gouvernements provinciaux fonctionnent sur le même modèle que le gouvernement fédéral. Dans chaque province, on retrouve des partis politiques qui se font la lutte lors d'une campagne électorale dans le but de faire élire le plus de députés et obtenir ainsi le droit de former le gouvernement. Le parti au pouvoir est dirigé par un premier ministre qui nomme aussi ses ministres.

Les pouvoirs du gouvernement provincial se rapportent aux secteurs qui le touchent de près: l'éducation, les services de santé, l'exploitation des ressources naturelles de son territoire, les municipalités, etc. Ainsi, les écoles primaires et secondaires, les cégeps et les universités sont des services offerts par les diverses provinces. C'est aussi le gouvernement provincial qui voit au bon fonctionnement des hôpitaux et des cliniques situés sur son territoire.

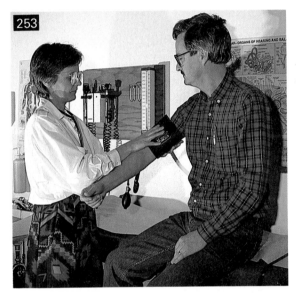

LE GOUVERNEMENT MUNICIPAL

Dans chaque municipalité, on trouve un gouvernement qui porte le nom de conseil municipal. Ce conseil est formé d'une mairesse ou d'un maire et de quelques conseillères ou conseillers. Ces personnes sont élues lors d'élections auxquelles peuvent voter toutes les citoyennes et tous les citoyens âgés de 18 ans et plus. Le conseil municipal s'occupe des services municipaux tels que le transport en commun, les loisirs, l'entretien des rues, les services d'aqueduc, les services de police et de protection contre les incendies. Par exemple, la bibliothèque où tu empruntes des livres et la patinoire extérieure où tu te rends patiner, sont des services offerts par le gouvernement municipal.

255 Cueillette des ordures ménagères.

256 Service de protection contre les incendies.

257 Les niveaux de gouvernement au Canada.

LE GOUVERNEMENT SCOLAIRE LOCAL

Le gouvernement scolaire porte le nom de conseil scolaire. Ce conseil scolaire a la responsabilité d'organiser les services reliés à l'enseignement primaire et secondaire. Le conseil scolaire est formé d'un certain nombre de commissaires et d'une présidente ou d'un président, élus lors d'élections qui se tiennent périodiquement sur le territoire de la commission scolaire.

QUI PAIE POUR TOUS CES SERVICES?

Pour que les services offerts par les différents niveaux de gouvernement puissent fonctionner, les individus et les compagnies doivent payer des taxes et des impôts. C'est pourquoi, en plus de surveiller les divers gouvernements afin de voir à ce que cet argent soit bien dépensé, les citoyennes et les citoyens doivent faire un bon usage des services mis à leur disposition.

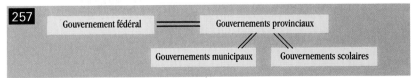

22 LA DÉFENSE DES DROITS ET LIBERTÉS

Comment faire respecter ses droits et libertés et ceux des autres?

A C T I V I T É S

JE RÉFLÉCHIS...

1. Explique à tes camarades certains droits et libertés que tu possèdes à l'intérieur d'un groupe (famille, classe, club de philathélie, club sportif, etc.) auquel tu appartiens.

2. Penses-tu que les citoyens et citoyennes du Canada ont aussi des droits et libertés reconnus par le gouvernement canadien? Partage ton opinion avec celle de tes camarades.

3. À partir des situations que tu vis ou que tu observes dans ton milieu (maison, classe, école, voisinage, quartier, localité), as-tu l'impression que, parfois, tes droits et libertés ou ceux d'autres personnes ne sont pas respectés? Décris quelques-unes de ces situations.

JE VÉRIFIE MES IMPRESSIONS...

4. Nomme quelques droits et libertés que le gouvernement du Canada reconnaît à ses citoyens et citoyennes.

5. Trouve quelques situations où des personnes sont victimes de discrimination dans ton milieu ou ailleurs au Canada.
   Voici quelques pistes pour t'aider à recueillir des informations:
   - *consultation de journaux et de revues;*
   - *enquête auprès de tes parents ou d'autres personnes de ton entourage;*
   - *demande d'information auprès de la Ligue des droits et libertés.*

6. Trouve quelques moyens mis à la disposition des citoyens et des citoyennes pour assurer la défense de leurs droits et libertés.

J'UTILISE MES DÉCOUVERTES...

7. Avec quelques camarades, monte un sketch illustrant une situation de discrimination vécue dans ton milieu ou ailleurs au Canada.

   À la fin de ce sketch, demande aux spectateurs et aux spectatrices d'expliquer en quoi la situation illustrée en est une de discrimination. Invite-les aussi à suggérer quelques moyens que la personne victime de discrimination pourrait prendre pour assurer la défense de ses droits et libertés.

 ans un pays démocratique comme le Canada, le maintien des droits et libertés des citoyennes et des citoyens est un principe très important. Selon ce principe, tout citoyen canadien, peu importe sa race, son origine ethnique, sa langue, sa religion, son sexe ou sa condition sociale, peut agir et choisir selon ses croyances en autant que celles-ci respectent les lois en vigueur. Par exemple, chaque personne possède la liberté de conscience ou d'opinion, c'est-à-dire qu'elle peut voter pour le parti politique de son choix, tenir des réunions de toutes sortes, aller et venir sur le territoire canadien de même qu'en sortir et y entrer comme bon lui semble, pratiquer une religion, peu importe laquelle, ou n'en pratiquer aucune. Ces droits fondamentaux, et plusieurs autres, sont inscrits dans la Charte canadienne des droits et libertés.

Les droits et libertés d'une personne sont inséparables des droits et libertés des autres personnes et du bien-être en général. Avoir des droits, cela implique qu'on a aussi des responsabilités et la principale responsabilité c'est de reconnaître les droits des autres. Les droits ne sont cependant pas absolus et doivent être exercés à l'intérieur de certaines limites.

258

Charte québécoise
des droits et libertés de la person

inséques, destinée à assurer sa protection et son épanouissement;
tignité et ont droit à une égale protection de la loi ;
onnaissance des droits et libertés dont il est titulaire constituent

Considérant que les droits et libertés de la personne
Considérant qu'il y a lieu d'affirmer solennellement
ceux-ci soient garantis par la volonté collective et t
À ces causes, Sa Majesté, de l'avis et du consentent

17- Nul ne peut exercer de discrimination dans l'admission, la jouissance
d'avantages, la suspension ou l'expulsion d'une personne d'une association d'employeurs ou de salariés ou de toute corporation, professionnelle ou association de personnes exerçant une même occupation

29- Toute personne arrêtée ou détenue a droit, sans délai
être prochée de la recourir à l'assistance d'un avocat.
Elle doit être promptement informée de ces droits.

18- Un bureau de placement ne peut exercer de discrimination dans
la réception, la classification ou le traitement d'une demande d'emploi
ou dans un acte visant à soumettre une demande à un employeur
eventuel.

30- Toute personne arrêtée ou détenue doit être prompte
devant tribunal compétent ou relâché.

18-1 Nul ne peut, dans un formulaire de demande d'emploi ou
lors d'une entrevue relative à un emploi, requérir d'une personne des
renseignements sur les motifs visés dans l'article 10 sauf si ces renseignements sont utiles à l'application de l'article 20 ou à l'application d'un
programme d'accès à l'égalité existant au moment de la demande.

31- Nulle personne arrêtée ou détenue ne peut être tenu
au droit de recouvrer sa liberté sur un engagement avec ou s
caution, de comparaître devant le tribunal dans le délai

32- Toute personne privée de sa liberté a droit de recourir
corpus.

32-1 Tout accusé a le droit d'être jugé dans un délai

18-2 Nul ne peut congédier, refuser d'embaucher ou autrement
pénaliser dans le cadre de son emploi une personne du seul fait qu'elle
a été reconnue coupable ou s'est avouée coupable d'une infraction
pénale ou criminelle, si cette infraction n'a aucun lien avec l'emploi
ou si cette personne en a obtenu le pardon.

33- Tout accusé est présumé innocent jusqu'à ce que so
sa culpabilité ait été établie suivant la loi.

33-1 Nul accusé ne peut être contraint de témoigner conti
lors de son procès.

19- Tout employeur doit, sans discrimination, accorder un traitement
ou un salaire égal aux membres de son personnel qui accomplissent un
travail équivalent au même endroit.
Il n'y a pas de discrimination si une différence de traitement ou de
salaire est fondée sur l'expérience, l'ancienneté, la durée du service, l'évaluation au mérite, la quantité de production ou le temps supplémentaire, si ces critères sont communs à tous les membres du personnel.

34- Toute personne a droit de se faire représenter par
d'en être assisté devant tout tribunal.

35- Tout accusé a droit à une défense pleine et en
droit d'interroger et de contre- interroger les témoins.

36- Tout accusé a le droit d'être assisté gratuite
interprète s'il ne comprend pas la langue employée à l'a
s'il est atteint de surdité.

20- Une distinction, exclusion ou préférence fondée sur les aptitudes
ou qualités requises par un emploi, ou justifiée par le caractère
charitable, philanthropique, religieux, politique ou éducatif d'une institution sans but lucratif ou qui est voué exclusivement au bien-être
d'un groupe ethnique est réputée non discriminatoire.
De même, dans les contrats d'assurance ou de rente, les régimes d'avantages sociaux, de rente ou d'assurance, les régimes d'avantages
universels de rente ou d'assurance, est réputée non discriminatoire une
distinction, exclusion ou préférence fondée sur les facteurs de détermination de risque ou des données actuarielles fixés par règlement.

37- Nul accusé ne peut être condamné pour une action
omission qui, au moment où elle a été commise, ne con
une violation de la loi.

37-1 Nulle personne ne peut être jugée de nouveau pour
tion dont elle a été acquittée ou dont elle a été déclaré
vertu d'un jugement passé en force de chose jugée.

37-2 Un accusé a droit à la peine la moins sévère lo
peine prévue pour l'infraction a été modifiée entre la pe
témoignages contradictoires.

Droits politiques

21- Toute personne a droit d'adresser des pétitions à l'Assemblée
nationale pour le redressement de griefs.

22- Toute personne légalement habilitée et qualifiée a droit de se
porter candidat lors d'une élection et a droit d'y voter.

38- Aucun témoignage devant un tribunal ne peut serv
ner son auteur, sauf le cas de poursuite pour parjure o
témoignages contradictoires.

Droits économiques et sociaux

LA DISCRIMINATION

Il arrive parfois que des personnes sont brimées dans leurs droits et libertés à cause de certaines conditions physiques ou mentales qui les distinguent des autres. C'est ce que l'on appelle de la discrimination. Par exemple, tu as sans doute déjà remarqué, à l'école, que certains enfants étaient rejetés par les autres ou faisaient l'objet de moqueries à cause de leur poids, de leur taille, de leur manque d'habileté aux sports, de leur facilité à apprendre, de leurs goûts ou d'un handicap quelconque. Les enfants qui subissent cette discrimination éprouvent de la tristesse d'être mis à part des autres et risquent de perdre la confiance qu'ils ont en eux.

261

259

260

258 La Charte québécoise des droits et libertés.

259 Membres de la secte religieuse Hari Krishna.

260 Autobus scolaires adaptés pour les enfants handicapés.

261 La discrimination s'exerce parfois à l'égard d'enfants qui sont différents des autres.

262 Travailleur immigrant dans une usine de textile.

Plusieurs adultes subissent aussi de la discrimination. Par exemple, il arrive parfois qu'un ou une propriétaire refuse de louer un appartement à une personne handicapée parce qu'il ou elle croit que cela va lui causer des

262

problèmes. Le fait de refuser d'accorder les mêmes droits qu'à tout le monde à une personne handicapée est un acte de discrimination. On parle aussi de discrimination raciale lorsqu'on interdit à des personnes d'une autre race d'avoir les mêmes droits et libertés que les autres citoyennes et citoyens. Malheureusement, même au Canada, il y a plusieurs personnes qui ont de la difficulté à trouver un logement ou qui doivent travailler à des salaires très bas à cause de la couleur de leur peau, de leur langue, de leur religion ou de leurs autres habitudes de vie.

Dans la société canadienne, les femmes sont aussi victimes de discrimination. Par exemple, à certains endroits les jeunes filles n'ont pas accès aux mêmes clubs ou équipements sportifs que les garçons. Au travail, très souvent des hommes sont préférés à des femmes pour occuper des postes importants, non pas parce qu'ils sont plus compétents, mais simplement à cause de leur sexe. Les femmes sont aussi dans l'ensemble moins payées que les hommes même si les deux exercent le même type de travail. Heureusement, en se regroupant et en faisant des pressions pour que les femmes et les hommes soient traités sur un pied d'égalité, les Canadiennes ont réussi à améliorer quelque peu leur condition.

263

À LA DÉFENSE DES DROITS ET LIBERTÉS

Au Canada, le gouvernement fédéral comme les gouvernements provinciaux doivent voir à ce que tous les citoyens soient traités équitablement. Pour ce faire, il existe des tribunaux où siègent des juges chargés d'interpréter les lois votées par les divers paliers de gouvernement. La personne qui a été privée de ses droits et libertés peut faire appel à un tribunal pour en réclamer le respect complet. Par ailleurs, il appartient aussi au tribunal de juger si certaines personnes ont commis des actes qui ont nui aux droits et libertés des autres. Ainsi, un ou une automobiliste qui a conduit plus vite que la vitesse permise met sa vie et celle des autres en danger. Dans ce cas, s'il s'agit de gestes répétés, un tribunal peut lui retirer son permis de conduire afin d'assurer le droit à la sécurité et à la vie des autres citoyennes et citoyens.

D'autres moyens sont à la disposition des gens pour assurer la défense de leurs droits et libertés. Ainsi, il existe plusieurs associations qui ont comme but de défendre les droits et libertés de certains groupes de la société. Mentionnons, les associations pour les personnes âgées, les handicapés, les malades, les consommateurs, les familles monoparentales.

264

On trouve aussi dans les provinces une Commission des droits de la personne qui a comme rôle de s'assurer que les droits des citoyennes et des citoyens sont respectés. Cette commission peut faire des enquêtes dans les cas de discrimination ou d'exploita-

assurer le respect de leurs droits et libertés. En plus de tous ces moyens, nous devons tous et toutes être d'une grande vigilance et faire tout ce qui est possible pour faire respecter nos propres droits et libertés. Il ne faut cependant pas oublier que la première res-ponsabilité est de respecter les droits et libertés des autres.

265 La ligue des droits et libertés.

266 Revue d'information à l'intention des consommateurs.

266

23 LES DROITS ET LIBERTÉS DANS LE MONDE

Sont-ils respectés dans tous les pays?

ACTIVITÉS

JE RÉFLÉCHIS...

1. Les citoyens et les citoyennes du Canada vivent dans un pays démocratique. C'est pourquoi ils peuvent critiquer les décisions du gouvernement, voter pour les personnes qu'ils jugent les meilleures pour former le gouvernement, se regrouper à l'intérieur d'associations (syndicat, association de consommateurs, etc.) pour défendre leurs droits.

   Penses-tu que dans tous les autres pays, les citoyens et les citoyennes peuvent en faire autant? Partage ton opinion avec celle de tes camarades.

JE VÉRIFIE MES IMPRESSIONS...

2. À partir des informations de ce dossier et des faits rapportés par les journaux, la radio et la télévision, trouve quelques situations où dans certains pays du monde, des personnes sont empêchées d'exercer leurs droits et libertés démocratiques.

3. Nomme quelques organismes dont le rôle consiste à défendre les droits et libertés démocratiques à l'échelle mondiale. Explique dans tes mots la façon dont ces organismes jouent leur rôle.

J'UTILISE MES DÉCOUVERTES...

4. Découpe un article de journal qui présente une sitation où des citoyens et des citoyennes d'un pays sont empêchés d'exercer leurs droits et libertés démocratiques.

   Présente ensuite cet article à la classe en le résumant et en donnant ton opinion sur la situation décrite.

eaucoup de gens à travers le monde vivent dans des pays démocratiques comme le Canada. Malheureusement, il existe aussi de nombreux pays où les droits et libertés sont très limités.

contrôle et à la gestion du pays est donc pratiquement nulle. Il arrive même fréquemment que des personnes soient emprisonnées en raison de critiques formulées à l'endroit de leur gouvernement. Ces personnes sont considérées comme des prisonniers politiques ou d'opinion.

267 Prisonnier montrant des signes de torture.

268 Personnes emprisonnées à cause de leurs opinions politiques.

269 Quartier réservé aux Noirs en Afrique du Sud.

270 Dispersion de manifestants politiques en Afrique du Sud.

DES PERSONNES PRIVÉES DE LEURS DROITS ET LIBERTÉ

Malheureusement, des millions de personnes dans le monde vivent dans des pays où leurs droits et libertés sont limités. Un de ces pays, situé en Afrique, a une politique tellement répressive à l'égard de la majorité de sa population, que beaucoup de gouvernements à travers le monde refusent d'avoir des contacts avec ce pays, l'Afrique du Sud.

Au pays de l'apartheid

En Afrique du Sud, la population est composée de 20% de Blancs, de 10% de Métis et de 70% de Noirs. Cependant, seule la minorité blanche dirige le pays à son profit et impose à tous les Noirs et Métis des lois qui sont très discriminatoires. Cette minorité blanche applique une politique raciale qui se nomme apartheid. Le système de l'apartheid oblige les groupes raciaux à vivre séparés les uns des autres. L'Afrique du Sud est le seul pays du monde, à la fin du 20e siècle, à avoir des lois qui sont fondées sur des préjugés comme la supériorité de la race blanche et l'infériorité des Noirs. Cette politique s'oppose donc vigoureusement au principe d'égalité entre les races.

L'apartheid est très injuste pour les Noirs d'Afrique du Sud qu'on appelle Bantous, ainsi que pour tous les Métis qu'on appelle *Coloured*. Ainsi, même s'ils sont très majoritaires en nombre, les Bantous et les Métis n'ont pas le droit de voter lors des élections nationales.

271 Autobus pour les non Blancs en Afrique du Sud.

272 Certains gouvernements ne tolèrent pas la contestation (Chili).

Les Noirs sont aussi obligés de vivre dans des endroits qui leur sont imposés par le gouvernement. Ces endroits sont appelés Bantoustan. Ces derniers constituent ni plus, ni moins des réserves où la pauvreté, le chômage et les conditions socio-économiques sont déplorables.

Les Bantous doivent également se munir d'une carte d'identité de même que d'un laissez-passer lorsqu'ils se déplacent à l'intérieur de leur propre pays. De plus, l'accès à de nombreux endroits publics tels que les cinémas, les magasins et les autobus leur est interdit car ils sont réservés aux Blancs. Les lois interdisent aussi les mariages entre les Noirs et les Blancs. Ces derniers sont les descendants des Hollandais qui se sont établis en Afrique du Sud au 17e siècle. Ces Blancs d'Afrique du Sud, même s'ils sont beaucoup moins nombreux que les Noirs, répriment de façon très violente tous les mouvements de protestation des Noirs. Ils vont même jusqu'à jeter en prison des enfants noirs de ton âge qui sont soupçonnés d'être contre l'apartheid. Presque tous les pays du monde condamnent l'apartheid et ont demandé à l'Afrique du Sud de changer sa politique raciale, malheureusement sans grand succès. Ces pays ont même cessé de faire du commerce avec l'Afrique du Sud.

Ailleurs dans le monde

Il y a aussi, ailleurs dans le monde, des personnes dont les droits et libertés sont restreints à des degrés divers. La discrimination est très souvent basée sur les opinions politiques. Par exemple, au Chili, le gouvernement a emprisonné des milliers de personnes qui sont contre la dictature du président Pinochet; des milliers d'autres ont dû fuir leur pays pour éviter la répression. Beaucoup d'entre eux sont venus se réfugier au Québec. Dans certains pays d'Europe de l'Est, des personnes qui contestent trop fortement les idées du parti au pouvoir risquent d'être poursuivies en justice et emprisonnées. Dans d'autres pays, la discrimination est aussi basée sur les croyances religieuses, la langue, la couleur de la peau. Il n'est pas nécessaire qu'il y ait des lois injustes, comme en Afrique du Sud, pour que des personnes soient victimes de discrimination. C'est pourquoi il faut toujours faire très attention de respecter et de voir à ce que soient respectés les droits et les libertés des autres.

LES ORGANISMES DE DÉFENSE DES DROITS ET LIBERTÉS

L'ONU

Certains organismes ont comme tâche de surveiller et de défendre les droits et libertés des personnes dans tous les pays du monde. L'organisme le plus connu est certes l'Organisation des Nations unies appelée communément ONU. Cet organisme qui regroupe plus de 150 pays, tente de résoudre les différents

NON-WHITES ONLY
SLEGS NIE-BLANKES

273

conflits qui surviennent dans le monde. L'ONU organise aussi des secours pour les victimes de catastrophes naturelles et cherche à amener les dirigeants de chaque pays à prendre des mesures afin que l'ensemble de leur population puisse vivre en toute liberté.

L'UNESCO

L'Organisation des Nations unies est composée de plusieurs agences qui essaient de soulager, entre autres, la misère qui règne sur la planète. L'une de ces agences s'appelle l'UNESCO. Elle vise à contribuer à la paix mondiale en favorisant les échanges et la diffusion d'information sur une multitude de sujets touchant l'éducation, la science et la culture. Elle cherche aussi à protéger les libertés humaines des individus. Par exemple, l'UNESCO a mis sur pied un programme d'enseignement dans plusieurs écoles primaires en Amérique du Sud. De plus, elle effectue des études scientifiques dans le but de mettre en valeur certaines régions desséchées de l'Afrique. Elle publie aussi des rapports sur la façon de vivre de diverses populations dans le but de mettre fin à la discrimination raciale qui existe dans de nombreux pays.

Amnistie internationale

Amnistie internationale est une autre organisation qui se préoccupe des droits et libertés de la personne à travers le monde. Cette association indépendante concentre surtout ses activités sur les cas de prisonniers politiques ou d'opinion. Elle tente d'obtenir la libération des personnes détenues en raison de leurs idées religieuses ou politiques, de la couleur de leur peau ou de leur langue. De plus, cette organisation dénonce les autorités de certains pays qui maltraitent ou torturent leurs citoyennes ou leur citoyens. Les efforts soutenus d'Amnistie internationale ont contribué à la libération de nombreux prisonniers politiques et à l'amélioration des conditions de vie de plusieurs autres. Toutefois, comme les droits et libertés des personnes sont bafoués dans plusieurs pays, il reste encore beaucoup de travail à accomplir pour les 500 000 membres d'Amnistie internationale répartis dans le monde.

273 Siège de l'ONU à New York aux États-Unis.

274 Classe en Afrique.

275 Membre du mouvement Amnistie internationale.

274

275

ACTIVITÉS DE SYNTHÈSE

Attention! Tu peux te référer aux dossiers 21 à 23 pour réaliser les activités de synthèse.

1. À partir d'exemples, explique dans tes mots l'influence du gouvernement dans ta vie quotidienne et dans celle des citoyens et des citoyennes de ton milieu.

2. Avec tes camarades, prépare des affiches et colle-les dans ton école afin de sensibiliser les élèves des autres classes au respect des droits et libertés des personnes dans ton milieu, au Canada et dans le monde.

BILAN D'APPRENTISSAGE

Attention! Tu peux te référer aux dossiers 21 à 23 pour réaliser le bilan d'apprentissage. Cependant, tu dois faire appel uniquement à ton jugement et à ta mémoire pour faire les activités accompagnées de ce symbole •.

DOSSIER 21

• **1.** Nomme deux services publics organisés exclusivement par le gouvernement fédéral.

• **2.** Nomme deux services publics organisés exclusivement par le gouvernement provincial.

• **3.** Nomme deux services publics organisés exclusivement par le gouvernement de ta municipalité.

DOSSIER 22

• **1.** À partir d'un exemple vécu autour de toi ou ailleurs au Canada, décris dans tes mots une situation où les droits et libertés des personnes ne sont pas respectés.

• **2.** Indique deux moyens mis à la disposition des citoyens et des citoyennes du Canada pour assurer la défense de leurs droits et libertés.

DOSSIER 23

1. À partir de l'actualité mondiale, trouve un exemple où des personnes sont empêchées d'exercer leurs droits et libertés démocratiques. Présente ton exemple en expliquant de quelle façon ces personnes sont empêchées d'exercer leurs droits et libertés.

• **2.** Nomme un organisme qui cherche à défendre les droits et libertés démocratiques à l'échelle mondiale.

LA VIE AU QUÉBEC IL Y A 100 ANS

Une nouvelle exploration!

Ce que j'en sais...
Ce que j'en pense...

Observe les photos de la page ci-contre. D'après toi, où et quand ont-elles été prises? Qui, parmi tes ancêtres, aurait pu vivre des situations semblables?

À partir des scènes représentées par les photos, essaie d'imaginer les autres aspects du mode de vie de ces personnes à la même époque. Partage ce que tu en sais ou ce que tu en penses avec tes camarades.

Ce que je veux explorer...

Qu'est-ce que tu aimerais connaître au sujet de la vie des gens au Québec à la fin du 19e siècle? Quels moyens prévois-tu utiliser pour te renseigner?

24 LA VIE QUOTIDIENNE À LA VILLE ET À LA CAMPAGNE

Comment vivaient nos ancêtres il y a 100 ans?

A C T I V I T É S

JE RÉFLÉCHIS...

1. Situe sur la ligne du temps **E-1** ta date de naissance, celle d'un de tes parents, grands-parents, arrière-grands-parents et arrière-arrière-grands-parents.
Pour ce travail, fais-toi aider de tes parents. Si tu ignores la date de naissance d'un de tes ancêtres, donne sa date de naissance approximative en soustrayant 30 ans de la date de naissance de ton ancêtre de la génération suivante.

2. Selon la ligne du temps que tu as complétée à l'activité 1, as-tu des ancêtres qui ont vécu à la fin du 19ᵉ siècle? Lesquels?

3. D'après toi, comment vivait cet ancêtre il y a 100 ans? Vivait-il à la ville ou à la campagne? Quel travail faisait-il? À quoi ressemblait sa maison? Que mangeait-il? Comment était-il vêtu? Que faisait-il pour se distraire?

JE VÉRIFIE MES IMPRESSIONS...

4. Trouve des informations sur un aspect du mode de vie des Canadiens français du Québec vivant à la ville et à la campagne à la fin du 19ᵉ siècle. Partage le travail avec tes camarades afin de traiter tous les aspects suivants: travail, maison, aliments, vêtements, loisirs.

5. Concernant l'aspect que tu as traité à l'activité précédente, trouve quelques différences entre:
a) le mode de vie à la ville et à la campagne il y a 100 ans;
b) le mode de vie à la ville il y a 100 ans et celui d'aujourd'hui;
c) la vie à la campagne il y a 100 ans et celle d'aujourd'hui.

6. Trouve chez les Québécois et les Québécoises d'aujourd'hui quelques habitudes de vie qu'ils ont conservées de leurs ancêtres de la fin du 19ᵉ siècle.

J'UTILISE MES DÉCOUVERTES...

7. Avec tes camarades, prépare un album comparant, à l'aide de textes, de dessins et de découpures, la vie quotidienne au Québec à la ville et à la campagne il y a 100 ans. Organise ton album pour comparer aussi le mode de vie d'autrefois à celui d'aujourd'hui.
Aux dossiers 25 et 26, tu devras compléter cet album à partir de tes nouvelles découvertes sur la vie il y a 100 ans.

8. Crois-tu qu'il y a plus de ressemblances ou plus de différences entre la vie à la ville et à la campagne aujourd'hui qu'il y en avait à la fin du 19ᵉ siècle? Discutes-en avec tes camarades en appuyant ton opinion sur des exemples.

u Québec, à la fin du 19ᵉ siècle, le nombre d'industries augmente et les villes se développent de plus en plus. Attirées par les emplois offerts dans les industries naissantes, de nombreuses personnes quittent la campagne pour aller habiter à la ville. En 1901, les citadins représentent 36% de la population québécoise alors qu'en 1851, ils n'en représentaient que 15%. En émigrant de la campagne vers la ville, ces Québécois et ces Québécoises doivent s'adapter à des conditions de vie et de travail différentes.

LE TRAVAIL

En milieu rural, tous les membres de la famille participent au travail qui varie selon les saisons. L'été constitue la période des gros travaux. En plus de faire les foins, de récolter les grains, les fruits et les légumes, les habitants doivent réparer leur grange, blanchir à la chaux les bâtiments et participer aux corvées communautaires comme construire l'école du village ou le presbytère de la paroisse. L'hiver est, par contre, une saison plus calme car les habitants ne vont pas aux champs. Ils doivent cependant nourrir les animaux et nettoyer l'étable. Ils en profitent pour réparer leurs outils, travailler le bois, confectionner des vêtements et visiter leurs parents et amis. Le printemps et l'automne sont consacrés principalement aux semailles et aux labours, en plus des nombreuses autres occupations telles que faire les sucres, réparer les clôtures, fendre le bois de chauffage ou tondre les moutons.

276

À la ville, le travail ne change généralement pas avec les saisons. La majeure partie de la population est constituée d'ouvriers et d'ouvrières qui travaillent principalement dans les usines de textile et de vêtements, dans les manufactures de tabac, de chaussures et d'alimentation ainsi que dans les industries de pâtes et papiers. Le secteur des services qui comprend les fonctionnaires, les employés de magasins, de restaurants, d'hôpitaux, etc., est encore peu développé à la fin du 19ᵉ siècle. Il ne fournit de l'emploi qu'à un petit nombre de gens. Cependant, beaucoup de personnes, en grande majorité des femmes, sont domestiques. Elles travaillent chez des gens dont les revenus sont plus élevés que ceux des ouvriers. Le travail domestique est dur et très mal payé.

LA MAISON

Les ouvriers habitent généralement près des usines, dans des logements de bois ou de briques, à deux ou trois étages, qu'ils partagent avec d'autres familles. Ces habitations sont généralement mal construites et entassées les unes sur les autres. Il y fait chaud en été et froid en hiver. Souvent surpeuplées et mal aérées, ces maisons, surchauffées par leurs occupants en hiver, deviennent des lieux malsains où les maladies se répandent rapide-

ment. Les gens plus riches demeurent loin des usines dans de grandes maisons de belle apparence. C'est à la fin du 19ᵉ siècle que l'électricité et l'eau courante sont installées dans la plupart des domiciles. L'électricité n'est utilisée toutefois que pour éclairer la maison.

Ces deux commodités ne se trouvent pas en milieu rural. Les paysans doivent s'éclairer à la chandelle ou avec des lampes à huile ou à gaz. Pour s'approvisionner en eau, ils utilisent une pompe manuelle qui tire l'eau d'un puits. Cependant, leurs maisons sont généralement mieux bâties et plus confortables que celles des ouvriers des villes. Elles sont faites de bois et possèdent plusieurs fenêtres en plus d'une grande galerie. Le rez-de-chaussée comprend trois ou quatre pièces incluant la cuisine.

276 Les foins à Cap-à-l'Aigle.

277 Intérieur d'une usine de vêtements.

278 Maisons de ville.

279 Intérieur d'une maison de ville.

280 Les techniques de mise en conserves à la fin du 19ᵉ siècle sont encore en usage vers 1950.

281 Maison de campagne.

282 Marché public de la place Jacques-Cartier à Montréal en 1896.

À la campagne comme à la ville, la cuisine est le centre des activités familiales. En plus d'y cuisiner et d'y prendre les repas, tous les membres de la famille y passent leurs soirées à tricoter, tisser, coudre, jaser et fumer la pipe. Les maisons sont chauffées avec un poêle à bois ou à charbon, fait en fonte et en acier. Les toilettes, telles qu'on les connaît aujourd'hui, n'existent pas. Seule la «bécosse», qui est une cabane étroite en planches de bois placée à une cinquantaine de pas de la maison, est utilisée. La nuit, les gens se servent d'un pot de chambre qu'ils vident au petit matin.

LES ALIMENTS

L'alimentation des paysans se compose surtout de pain, de patates, de pois, de sucre et de lard. En été, les produits du potager: radis, laitue, tomates, haricots, concombres et blé d'Inde leur permettent d'avoir une alimentation plus variée. La viande est cependant une denrée rare et les desserts (fraises, framboises, bleuets et pâtisseries) sont réservés pour les dimanches et les jours de fête. Les femmes fabriquent pratiquement tous les aliments que consomme la famille. Elles cuisent le pain une fois par semaine, mettent les légumes et les fruits en conserve, barattent la crème pour faire du beurre et salent ou fument la viande pour la conserver plus longtemps. Comme les réfrigérateurs n'existent pas, elles gardent, en été, les aliments périssables dans des chaudières qu'elles placent, bien au frais, au fond du puits. En hiver, pour la préserver du dégel, la viande est enfouie sous l'avoine conservée dans une remise. La viande est aussi conservée dans un baril rempli d'eau qu'on fait geler. La glace commence à se former sur la paroi intérieure du baril. Quand cette couche de glace est assez épaisse, on retire l'eau du centre du baril et on y dépose la viande. On obtient ainsi un bon congélateur pour tout l'hiver.

Contrairement aux ruraux, les citadins achètent presque tous leurs produits alimentaires au marché que tiennent les fermiers dans les villes une fois par semaine. Ils ont cependant le même type d'alimentation composée de beaucoup de féculents et de sucre. Ils peuvent se procurer de la viande fraîche ou du poisson chez le boucher ou le poissonnier, mais comme les prix sont assez élevés, de nombreuses familles se contentent de charcuteries ou de viandes fumées ou salées.

LES VÊTEMENTS

Le développement de l'industrie du textile et du vêtement modifie la garde-robe des Québécois et des Québécoises. Les jeunes filles de la ville portent désormais des robes de coton ornées de volants et de dentelles, délaissant les anciennes robes de toile et de laine. Elles achètent leurs vêtements dans les grands magasins ou les confectionnent avec les nouveaux tissus disponibles sur le marché comme les cotonnades et les tweeds. Dans les campagnes, les vêtements manufacturés pénètrent peu à peu. Les magasins Dupuis et frères, Eaton et Simpson y distribuent leurs catalogues et les habitants reçoivent par la poste ou par le train les vêtements commandés. Les femmes de la campagne tricotent et tissent toujours une partie de l'habillement d'hiver avec la laine provenant des moutons de la ferme.

LES LOISIRS

Puisque la radio et la télévision ne sont pas encore inventées, les gens de la campagne occupent leurs moments de loisir à chanter autour du piano, à jouer de la musique (bombarde, «ruine-babines», violon, etc.), à danser, à se raconter des histoires et à jouer aux cartes ou aux dames. L'été, les promenades en calèche, la cueillette de petits fruits sauvages et les épluchettes de blé d'Inde divertissent toute la famille. Quant aux citadins, ils jouent au billard et aux quilles, assistent à des parties

283 Catalogue Eaton de 1893.

284 Magasin Dupuis et Frères en 1877.

285 Tissage de la laine.

286 Équipe de hockey de l'Université McGill en 1881.

287 Épluchette de blé d'Inde.

288 Sports d'hiver.

289 Épouvantail.

de crosse et à des courses de chevaux. Certaines familles profitent des belles journées d'été pour aller pique-niquer ou pour faire de la bicyclette. L'hiver, le patin, la raquette et le toboggan sont les activités de plein air les plus populaires.

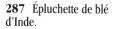

LES TRACES DU PASSÉ

En dépit des nombreux changements technologiques et sociaux qui se sont produits depuis le début du 20ᵉ siècle, les Québécois d'aujourd'hui ont conservé certaines habitudes de leurs ancêtres. Par exemple, quelques cultivateurs utilisent encore un épouvantail pour effrayer les oiseaux qui veulent manger les graines de semence. Depuis quelques années, les marchés publics retrouvent leur popularité d'antan car les Québécois recherchent de plus en plus les aliments frais et naturels de la ferme. Dans plusieurs localités, des artisans utilisent des techniques ancestrales pour fabriquer des meubles, des vêtements ou d'autres objets utilitaires semblables à ceux d'autrefois. Les parties de sucre et les épluchettes de blé d'Inde, qui sont organisées chaque année, rappellent les réjouissances d'autrefois. Comme leurs ancêtres de la fin du 19ᵉ siècle, les Québécois d'aujourd'hui aiment jouer aux cartes, chanter et danser. Souvent dans le temps des Fêtes, les chansons et les danses sont les mêmes qu'autrefois.

Patrimoine: *ce qui constitue l'héritage commun d'un peuple (arts, culture, traditions, etc.).*

Afin de conserver le **patrimoine** québécois et canadien, les gouvernements du Québec et du Canada ont mis sur pied des musées et des gens ont fondé à plusieurs endroits des sociétés d'histoire. Ainsi, à Compton et à Saint-Lin des Laurentides, les touristes peuvent visiter les maisons de Louis Saint-Laurent et de Wilfrid Laurier, deux anciens premiers ministres du Canada. À Saint-Joachim, tout près de Québec, un Centre d'initiation au patrimoine où des élèves du primaire et du secondaire peuvent passer quelques jours. Ils s'initient alors aux légendes, aux paysages et au mode de vie des gens d'autrefois.

Le Village québécois d'antan, près de Drummondville, présente aussi d'une façon concrète et originale, une partie de l'héritage des Québécois. On y a recréé un village représentatif des années 1840-1910. Le village comprend une quarantaine de bâtiments historiques provenant de la région du Centre du Québec. Ce village est animé par des dizaines d'hommes et de femmes habillés en habits d'époque qui font revivre par leurs gestes et leurs paroles les métiers et le mode de vie des gens d'autrefois. Finalement, il existe aussi dans plusieurs villes et villages des bâtiments (église, maison, grange, etc.) qui ont été conservés et qui nous permettent de voir ce qu'était l'architecture de la fin du 19e siècle.

290 Le parc historique national Louis S. Saint-Laurent fait revivre l'atmosphère d'un magasin général d'autrefois.

291 Centre d'initiation au patrimoine La Grande ferme.

292 Scène du Village québécois d'antan.

25 LES SERVICES PUBLICS

Y avait-il plus de services publics en ville ou à la campagne?

A C T I V I T É S

JE RÉFLÉCHIS...

1. Énumère les principaux services publics auxquels les membres de ta famille et toi avez accès dans votre milieu.

2. Parmi les services publics énumérés à l'activité précédente, lesquels, d'après toi, étaient aussi accessibles à tes arrière-grands-parents ou à tes arrière-arrière-grands-parents à la fin du 19e siècle?

3. Penses-tu qu'à la fin du 19e siècle, les Québécois et les Québécoises vivant à la campagne pouvaient bénéficier des mêmes services publics que ceux et celles vivant à la ville? Partage ton opinion avec celle de tes camarades.

JE VÉRIFIE MES IMPRESSIONS...

4. Trouve des informations sur un service public à la ville et à la campagne à la fin du 19e siècle.
Partage le travail avec tes camarades afin de traiter de tous les services publics suivants:
   - les transports publics;
   - les routes;
   - l'approvisionnement en eau;
   - les services d'hygiène et de santé;
   - les écoles;
   - la protection des personnes et des biens;
   - les communications.

J'UTILISE MES DÉCOUVERTES...

5. Avec tes camarades, complète l'album commencé au dossier 24 de façon à comparer, à l'aide de textes, de dessins et de découpures, les services publics offerts aux citadins et aux ruraux à la fin du 19e siècle.

6. À partir de l'album et des autres informations recueillies, quelles conclusions dégages-tu au sujet des services publics offerts aux citadins et aux ruraux à la fin du 19e siècle?
Partage ton opinion avec celle de tes camarades de classe.

Vers la fin du 19e siècle, les villes québécoises sont en pleine croissance. Les dirigeants municipaux mettent sur pied une multitude de services publics afin de répondre aux besoins de la population urbaine, qui augmente constamment. Les habitants des villages et des campagnes demeurent, par contre, privés de plusieurs de ces nouveaux services publics.

LES TRANSPORTS PUBLICS

Avant 1860, la majorité des gens devait marcher pour se rendre à leur travail, mais à partir de cette date, ils utilisent le premier service de transport en commun organisé par les villes: les tramways. Ce sont des voitures sur rails tirées par des chevaux. Peu rapides, les tramways atteignent une vitesse maximale de 10 km/h. Ils sont en opération du matin jusqu'au soir et ils suivent un horaire variable selon les circuits et les villes. L'hiver, les tramways sont équipés de patins. Une fournaise au bois et une épaisse couche de paille sur les planchers protègent les passagers du froid. Dans les dernières années du 19e siècle, les tramways sont modifiés et fonctionnent désormais à l'électricité. Le service devient plus rapide et plus efficace. Les voitures, plus grandes, peuvent contenir une trentaine de personnes. Les gens de cette époque appellent les tramways «les petits chars», par opposition aux trains, surnommés «les gros chars».

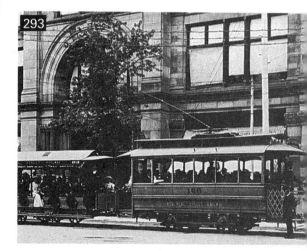
293

LES ROUTES

La plupart des routes du Québec sont alors dans un état pitoyable car elles sont mal construites et mal entretenues. Seules les artères principales des villes sont pavées, les autres sont donc poussiéreuses par beau temps et boueuses par temps pluvieux. Certaines routes ne sont praticables qu'en hiver lorsque le sol est gelé et que la neige les recouvre. Au début du 19e siècle, à la ville comme à la campagne, chacun doit contribuer à l'entretien des routes. Toutefois, à la fin du 19e siècle, des préposés entretiennent les rues des villes. L'hiver, ils égalisent la neige avec des grattes tirées par des chevaux. Ils voient aussi à ramasser les déchets ainsi que les cadavres d'animaux que les gens jettent dans les rues. À la ville, les rues sont éclairées par des réverbères à huile ou à gaz, et plus tard par des lampadaires électriques. Dans les régions rurales, on n'en trouve que sur la rue principale des principaux villages.

L'APPROVISIONNEMENT EN EAU

Vers 1850, les villes se munissent d'un réseau d'aqueduc pour distribuer l'eau dans les nombreuses habitations. Auparavant, c'était aux vendeurs ambulants que revenait cette tâche, mais l'accroissement de la population urbaine ne leur permet plus de l'accomplir. À la campagne, un tel service n'est pas nécessaire car chaque terre possède son propre puits.

293 Tramway en 1895.

294 Installation de tuyaux d'aqueduc.

295 Rouleau pour l'entretien des rues l'hiver.

296 Ramassage de la neige.

297 Lampadaire à gaz.

LES SERVICES D'HYGIÈNE ET DE SANTÉ

L'hygiène laisse à désirer à la ville comme à la campagne et l'absence de mesures appropriées cause de graves problèmes de santé. À Montréal, on connaît de nombreuses épidémies et une mortalité infantile très élevée. Environ un enfant sur trois meurt avant l'âge d'un an, principalement à cause de la diarrhée. Celle-ci est due à la mauvaise qualité de l'eau et du lait consommés. Pour permettre à leurs citoyens de vivre dans un milieu plus sain, les élus municipaux des villes organisent un système de cueillette des ordures ménagères. Des systèmes d'égouts remplacent aussi peu à peu les ruisseaux à ciel ouvert responsables de la propagation de nombreuses maladies. De son côté, le gouvernement provincial vote une loi en 1886 pour forcer les municipalités à ouvrir des bureaux de santé. En 1900, on dénombre 24 hôpitaux au Québec. À cette époque, ce sont surtout des pauvres et des malades **incurables** qui y sont recueillis, les Québécois de l'époque qui en ont les moyens préférant alors être soignés à domicile. Il ne faut pas oublier qu'au 19e siècle les soins médicaux n'étaient pas gratuits. À la campagne, les médecins se déplacent en voiture tirée par des chevaux. Cependant, les habitants craignent les médecins et s'adressent souvent aux «ramancheux» et aux «rebouteux» pour se guérir.

LES ÉCOLES

Le système d'enseignement est aux mains des autorités religieuses. On compte environ 5800 écoles et 310 000 élèves à la fin du 19e siècle. Comme l'école n'est pas obligatoire, certains parents refusent d'y envoyer leurs enfants. L'école maternelle n'existe pas et le cours primaire dure de quatre à cinq ans. Généralement, les jeunes quittent l'école vers dix ou onze ans, après leur première communion. Les enfants de la campagne manquent, de plus, plusieurs jours de classe au printemps et à l'automne, car ils doivent aider leurs parents

Incurables: *qui ne peuvent être guéris.*

sur la ferme. À la campagne, les élèves fréquentent des écoles de rang. Ce sont en général de petites bâtisses isolées, mal équipées, chauffées par un poêle à bois, dépourvues d'électricité et d'eau courante. Ces écoles accueillent dans un même local les élèves de 6 à 14 ans. Souvent, une très jeune fille leur enseigne. Le transport scolaire que l'on connaît aujourd'hui, n'existe pas à cette époque. Les enfants de la ville comme ceux de la campagne doivent se rendre à l'école à pied, même si elle est située à plusieurs kilomètres de leur résidence. Les adolescents et adolescentes qui désirent poursuivre leurs études et dont les parents en ont les moyens, peuvent s'inscrire à des institutions d'enseignement plus avancé telles les académies, les collèges classiques, les collèges industriels et les écoles d'arts et métiers. Quant à l'enseignement supérieur, il est offert dans les trois universités alors existantes: les universités anglophones McGill de Montréal et Bishop de Lennoxville ainsi que l'université francophone Laval de Québec.

LA PROTECTION DES PERSONNES ET DES BIENS

C'est à la fin du 19e siècle que les premiers corps de pompiers et de policiers sont créés dans les villes. La présence de pompiers devient nécessaire car, à cause de l'entassement des bâtiments, généralement en bois, les incendies prennent souvent une ampleur considérable. L'alarme est donnée par les cloches de l'église qui se trouve la plus près de l'incendie. Les pompiers, accrochés à une voiture tirée par des chevaux, se dirigent en toute hâte vers le lieu du sinistre. Ils utilisent une pompe à vapeur branchée à des bornes-fontaines pour obtenir un jet d'eau suffisant pour éteindre le feu. Dans les régions rurales, les habitants luttent eux-mêmes contre le feu avec l'aide des voisins, en utilisant des seaux qu'ils remplissent d'eau au puits. Quant aux policiers, ils ont pour mission d'assurer la protection des citoyens en patrouillant généralement la ville à pied. Ils utilisent aussi la bicyclette, le cheval ou encore le tramway.

298

LES COMMUNICATIONS

D'autres services publics comme le téléphone se sont aussi répandus dans les villes à la fin du 19ᵉ siècle. Cependant, ce n'est que plus tard, au 20ᵉ siècle, que la plupart de ces nouveaux services seront établis dans les campagnes.

299

300

301

302

303

304

26 LES TECHNIQUES DE PRODUCTION ET LE TRANSPORT

Quels changements sont survenus depuis 100 ans?

A C T I V I T É S

JE RÉFLÉCHIS...

1. Au dossier 24, tu as découvert qu'au temps de tes arrière-grands-parents ou de tes arrière-arrière-grands-parents, la plupart des gens vivant à la ville travaillaient dans des usines. Selon toi, en quoi le travail en usine à la fin du 19e siècle était-il semblable ou différent de celui d'aujourd'hui?

JE VÉRIFIE MES IMPRESSIONS...

2. Trouve des informations sur un aspect du travail en usine à la fin du 19e siècle.
   Partage le travail avec tes camarades afin de traiter de tous les aspects suivants:
   - l'équipement et la principale source d'énergie utilisés;
   - les principales productions;
   - les conditions de travail (semaine de travail, horaire, salaire);
   - l'hygiène et la sécurité;
   - les moyens utilisés pour transporter les gens et les marchandises.

3. Concernant l'aspect que tu as traité à l'activité précédente, trouve au moins une différence entre le travail en usine à la fin du 19e siècle et celui d'aujourd'hui.

J'UTILISE MES DÉCOUVERTES...

4. Avec tes camarades, complète l'album commencé aux dossiers 24 et 25 de façon à comparer, à l'aide de textes, de dessins et de découpures, le travail en usine à la fin du 19e siècle à celui d'aujourd'hui.

   Une fois ton album terminé, donne-lui un titre et présente-le ensuite à tes grands-parents ou à d'autres personnes âgées (club de l'âge d'or, résidence pour personnes âgées). Invite ces personnes à comparer ce qu'elles ont vécu dans leur jeunesse à ce qui est illustré dans l'album.

5. En rapport avec l'hypothèse que tu avais formulée à l'activité 1, quelles conclusions dégages-tu au sujet des ressemblances et des différences entre le travail en usine à la fin du 19e siècle et celui d'aujourd'hui?
   Échange tes conclusions avec celles de tes camarades.

 u Québec à la fin du 19e siècle, l'industrie est en pleine croissance. L'utilisation de machines permet d'augmenter considérablement la productivité.

LA MACHINERIE

Dans les manufactures de cigares par exemple, six machines fabriquent 25 000 cigares, soit l'équivalent du travail de 25 ouvriers. Malgré ces innovations, la machinerie de cette époque ne peut cependant pas se comparer à celle d'aujourd'hui, qui est beaucoup plus rapide et plus perfectionnée. À la fin du 19e siècle, les chaînes de montage et les robots n'existent pas. Jusqu'en 1914, la plupart des appareils fonctionnent à la vapeur alors qu'actuellement, l'électricité, le pétrole et le gaz naturel constituent les sources d'énergie les plus utilisées.

305 1780. 2 PAIRS A DAY. 1880. 300 PAIRS A DAY.

LES PRODUCTIONS

Les principales productions industrielles du Québec à la fin du 19e siècle sont le textile, le vêtement, le cuir, le matériel roulant de chemin de fer, les produits alimentaires ainsi que le bois et ses dérivés. L'industrie légère, la plus importante, se développe véritablement à partir de 1873, avec l'ouverture de plusieurs filatures en banlieue de Montréal (Hochelaga) et dans certaines villes de la province (Sherbrooke, Magog, Chambly, Valleyfield, Coati-

---

Industrie légère: *fabrication des produits finis ou semi-finis.*

Industrie lourde: *industrie de première transformation des matières premières.*

cook, Montmagny). Le plus haut degré de mécanisation de l'industrie québécoise se trouve alors dans les fabriques de coton. L'**industrie lourde** est aussi en expansion grâce à la mise sur pied d'un réseau ferroviaire. À Montréal, les ateliers du Grand Tronc et du Canadien Pacifique emploient environ 2000 ouvriers pour la construction, la réparation et l'entretien des wagons de chemin de fer.

Le secteur de l'alimentation est dominé par les raffineries de sucre et par les entreprises de produits laitiers. On assiste à la multiplication du nombre de beurreries et de fromageries. De nombreuses boulangeries, biscuiteries, brasseries, distilleries et entreprises de salaison sont fondées à la même époque. La croissance de la population des villes et le besoin de nouveaux logements entraînent la création de fabriques où on transforme le bois en planches, madriers, portes, chassis, etc. De grandes scieries s'établissent le long des affluents du fleuve Saint-Laurent. Quelques industries de pâtes et papiers voient aussi le jour.

305 Machinerie utilisée dans les usines de chaussures.

306 Filature de coton à Montréal en 1874.

307 Intérieur d'une beurrerie.

308 Intérieur d'une usine de confiture.

309 Prix de quelques aliments.

310 Heures de travail en ville durant l'été.

311 Salaires hebdomadaires à Montréal durant l'été.

312 Mineur âgé de 13 ans.

LES CONDITIONS DE TRAVAIL

Les fabriques du 19ᵉ siècle emploient souvent 200 à 1000 ouvriers et parfois plus. Ils travaillent en moyenne 60 heures par semaine du lundi au samedi inclusivement. Les employés du textile commencent leur journée de travail à 6 h 15 du matin et ils s'arrêtent à 12 h 15. Ils ont une demi-heure pour dîner, puis ils reprennent leur ouvrage jusqu'à 17 h 30. Les pauses du matin ou de l'après-midi de même que les vacances d'été n'existent pas pour la majorité des travailleurs d'usine. Peu qualifiés, les ouvriers reçoivent des salaires très bas. En 1891, un tailleur gagne huit dollars par semaine et un travailleur du coton, cinq. Ces salaires sont insuffisants pour satisfaire aux besoins d'une famille. C'est pourquoi les femmes et les enfants doivent aussi travailler.

309 LISTE MENSUELLE D'ACHATS DE L'OUVRIER MOYEN CHEZ L'ÉPICIER

36 livres de lard	3,60 $
5,5 livres de jambon	0,75 $
20,5 pains de 3,5 livres	2,90 $
5,5 livres de beurre	1,22 $
3 livres de graisse	0,36 $
11 livres d'orge	0,44 $
5 douz. d'oeufs	0,75 $
7 livres de farine	0,25 $
3 livres de sucre	0,18 $
2 minots de pommes de terre	1,40 $
4 boîtes de saumon	0,64 $
5 pintes de mélasse	0,95 $

(*La Presse*, 13 août 1887)

310 HEURES DE TRAVAIL D'ÉTÉ DANS LES CENTRES URBAINS DU QUÉBEC

Métier	Heures de travail par semaine
Boulangers	72 h et plus
Cigariers	60 h
Cordonniers	60 h
Travailleurs du textile	60 h, parfois plus
Typographes (Québec)	54 h
Mouleurs de fer	60 h à 72 h
Menuisiers	60 h
Tonneliers	60 h

311 SALAIRES HEBDOMADAIRES À MONTRÉAL, EN ÉTÉ

Métier	Minimum	Salaire moyen approximatif	Maximum
Boulangers	5,50 $	8,00 $	10,50 $
Cigariers	3,50	7,00	11,00
Cordonniers (H)	5,50	8,00	15,50
Cordonniers (F)	1,00	4,00	7,00
Coton (H)	3,50	5,00	6,00
Coton (F)	2,00	4,50	5,00
Tailleurs (H)	4,50	8,00	10,50
Tailleurs (F)	2,00	3,00	5,00
Typographes	7,50	10,00	16,50
Mouleurs de fer	7,50	11,00	15,50
Tonneliers	8,50	10,00	12,00

312

Dans les secteurs du textile et du vêtement, les femmes représentent la majorité des employés. Celles qui cousent les vêtements travaillent chez elles. Le manufacturier leur apporte les pièces qui ont été taillées à l'usine, pour qu'elles les assemblent. Les enfants travaillent surtout dans les usines de cigares, de textile et de chaussures. Même si une loi votée en 1885 interdit le travail pour les moins de 14 ans, de nombreux enfants, dont certains ne sont âgés que de huit ans, sont engagés. Ils font généralement des travaux de réparation et d'entretien des machines car leur petite taille leur permet de se glisser entre celles-ci. Par exemple, dans les usines de textile, ils remplacent les bobines de fils vides sur les métiers à tisser. À l'usine Hochelaga 200 enfants travaillent de six heures du matin à six heures du soir pour un salaire de 25 à 30 cents par jour.

Aujourd'hui, les ouvriers travaillent environ 40 heures par semaine généralement du lundi au vendredi. Les employeurs sont tenus par la loi d'accorder des vacances annuelles à leurs employés. Les femmes sont beaucoup moins limitées aux tâches les moins bien rémunérées. De plus en plus, elles occupent des postes importants dans les entreprises. Toutefois, dans l'industrie du vêtement, la main-d'oeuvre se compose encore majoritairement de femmes, et le travail à domicile existe toujours. Plusieurs de ces travailleuses, surtout les immigrantes, achètent ou louent une machine et effectuent chez elles la couture des vêtements. Quant aux enfants, ils n'ont plus le droit de travailler à plein temps avant l'âge de 16 ans puisque l'école est obligatoire jusqu'à cet âge.

Au 19e siècle, les industries adoptent peu de mesures d'hygiène et de sécurité. Des ordures traînent partout, ce qui dégage des odeurs nauséabondes. Le chauffage insuffisant l'hiver et la mauvaise aération l'été font souffrir les ouvriers du froid ou de la chaleur suffocante. Dans les manufactures de coton, le bruit assourdissant des machines et la fine poussière de coton qui s'en dégage causent des troubles auditifs et respiratoires. Les accidents de travail sont fréquents dans toutes les manufactures. Il s'agit généralement de bras fracturés, de doigts écrasés ou coupés par les machines. La machinerie d'autrefois ne possède pas de dispositifs de sécurité et la moindre maladresse entraîne de malheureuses conséquences. Les ouvriers blessés ne reçoivent pas d'indemnité et doivent recourir aux organismes de charité pour survivre. Il faut savoir en effet qu'à la fin du 19e siècle, les mesures sociales telles que l'assurance-maladie, l'assurance-chômage et les compensations pour accident de travail n'existent pas.

313 Accident sur un chantier de construction.

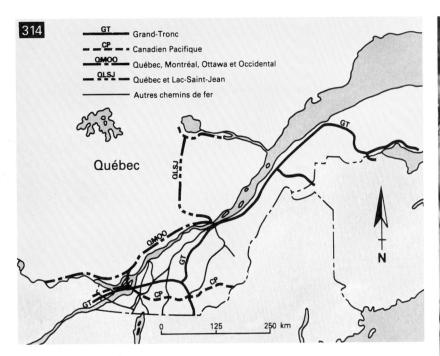

314 Réseau ferroviaire du Québec vers 1890.

315 Livraison du pain.

LES MOYENS DE TRANSPORT

À la fin du 19e siècle, comme aujourd'hui, l'approvisionnement des industries en matières premières et la distribution de leurs produits manufacturés nécessitent des moyens de transport adaptés. Le chemin de fer est le principal moyen de transport de cette époque. Comme les trains favorisent le développement de l'industrie québécoise, les dirigeants politiques encouragent la construction d'un réseau ferroviaire reliant les villes entre elles ainsi que certaines régions de colonisation. En 1867, le Québec possède 925 kilomètres de voies ferrées mais, dès 1901, il en compte 5600. À cette époque, les locomotives fonctionnent à la vapeur obtenue en chauffant au charbon une énorme bouilloire d'eau. C'est pourquoi elles laissent sur leur passage un long sillon de fumée noire et de vapeur d'eau. Tout cela est disparu aujourd'hui car les locomotives fonctionnent grâce à un dérivé du pétrole ou à l'électricité.

Les cours d'eau et les lacs ont été les premières voies utilisées au Québec pour la circulation des marchandises. À la fin du 19e siècle, le transport par voie d'eau est toujours important. Il demeure même le principal moyen de communication dans les régions de la province où il n'y a pas de chemin de fer. Aux ports de Montréal et de Québec, des débardeurs chargent et déchargent la cargaison des navires à vapeur et des bateaux à voile qui empruntent le fleuve Saint-Laurent et ses principaux affluents. On a d'ailleurs construit un système de canaux et d'écluses qui permet aux navires de contourner les rapides et les autres écueils qui entravent la navigation. Les voies d'eau servent également beaucoup au transport par flottage des troncs d'arbres vers les scieries. Des draveurs se chargent de diriger la circulation des billots sur les rivières.

Quant aux voyageurs, ils se déplacent en train ou en voitures tirées par des chevaux. Au Canada, la première automobile apparaît en 1895 mais son usage ne se répandra que plusieurs dizaines d'années plus tard. L'invention du moteur à explosion et la découverte du pétrole permettront une évolution rapide des moyens de transport au 20e siècle.

316 Utilisation des cours d'eau pour la drave.

317 Port de Montréal.

ACTIVITÉS DE SYNTHÈSE

Attention! Tu peux te référer aux illustrations et aux textes des dossiers 24 à 26 pour réaliser les activités de synthèse.

1. Décris dans tes mots ce qui changerait dans ta vie et dans celle de tes parents si une machine à reculer dans le temps vous ramenait à la fin du 19ᵉ siècle. Par exemple, est-ce qu'il y aurait des changements dans:
   - les moyens de satisfaire certains de vos besoins essentiels tels que se loger, se nourrir, se vêtir, se divertir;
   - la possibilité d'utiliser certains services essentiels;
   - ton travail d'écolier ou d'écolière;
   - le travail de tes parents.

2. Là où c'est possible, visiter le Village québécois d'antan près de Drummondville. Ce village composé d'une quarantaine de bâtiments historiques permet d'observer d'une façon concrète les métiers et les modes de vie à la fin du 19ᵉ siècle.
   Pour plus de renseignements, écris à:
   Village québécois d'antan
   R.R. 3, rue Montplaisir
   Drummondville (Québec)
   J2B 7T5
   Tél.: (819) 478-1441

3. Là où c'est possible, organiser un séjour à la Grande ferme de Saint-Joachim, près de Québec. Durant ton séjour, des moniteurs et des monitrices te feront découvrir le mode de vie de tes ancêtres au 19ᵉ siècle.
   Pour plus de renseignements, écris à:
   Centre d'initiation au patrimoine —
   La Grande ferme
   800, chemin du Cap-Tourmente
   Saint-Joachim (Québec)
   G0A 3X0
   Tél.: (418) 827-4608

BILAN D'APPRENTISSAGE

Attention! Tu peux te référer aux dossiers 24 à 26 pour réaliser le bilan d'apprentissage.

DOSSIER 24

1. Indique une différence entre la façon de se loger des Québécois vivant en ville et ceux vivant à la campagne à la fin du 19ᵉ siècle.

2. Décris dans tes mots une différence dans la façon de se nourrir des Québécois vivant à la ville à la fin du 19ᵉ siècle et ceux d'aujourd'hui.

3. Décris dans tes mots une différence dans le travail des Québécois vivant à la campagne à la fin du 19ᵉ siècle et ceux d'aujourd'hui.

4. Indique une habitude de vie des Québécois et des Québécoises d'aujourd'hui conservée de leurs ancêtres de la fin du 19ᵉ siècle.

DOSSIER 25

1. Vis-à-vis chaque service public, écris dans les parenthèses un *V* si ce service était offert aux gens des villes du Québec à la fin du 19ᵉ siècle. Écris un *C* si ce même service était offert aux gens des campagnes du Québec à la même époque.
   Si un même service public était offert à la fois à la ville et à la campagne, écris un *V* et un *C*.
   a) Le transport en commun par tramway. ( ) ( )
   b) L'entretien des routes. ( ) ( )
   c) La cueillette des ordures ménagères. ( ) ( )
   d) Les écoles de rang. ( ) ( )
   e) Les corps organisés de pompiers. ( ) ( ).

DOSSIER 26

1. Décris dans tes mots un changement survenu dans les techniques de production utilisées à la fin du 19ᵉ siècle par rapport à celles d'aujourd'hui.

2. Décris dans tes mots un changement survenu dans les conditions de travail en usine des Québécois et des Québécoises entre la fin du 19ᵉ siècle et aujourd'hui.

3. Décris dans tes mots un changement survenu dans les moyens de transport de marchandises à la fin du 19ᵉ siècle par rapport à ceux d'aujourd'hui.

*I*CI ET AILLEURS

LES MODES DE VIE

Une nouvelle exploration!

Ce que j'en sais...
Ce que j'en pense...

Observe les photos ci-contre. As-tu une idée du pays et du continent où habitent les personnes représentées sur ces photos? D'après toi, ces personnes ont-elles un mode de vie semblable ou différent du tien?

Connais-tu des pays où les gens ont un mode de vie semblable à celui des Canadiens et des Canadiennes? En connais-tu d'autres où les gens ont un mode de vie très différent de celui des Canadiens et des Canadiennes? Explique dans tes mots en quoi consiste ces ressemblances et ces différences.

Ce que je veux explorer...

Quelles questions aimerais-tu explorer afin de pouvoir mieux comparer le mode de vie des Canadiens et des Canadiennes à celui des autres personnes qui habitent la planète ·Terre? Quels moyens prévois-tu utiliser pour trouver des réponses à tes questions?

27 UNE PLANÈTE HABITÉE: LA TERRE

Les cinq milliards d'humains sont-ils tous semblables?

A C T I V I T É S

JE RÉFLÉCHIS...

1. Quelle partie de la terre habites-tu? D'après toi, quelles sont les parties de la terre les plus habitées? Pourquoi?
2. As-tu une idée de la population totale du Québec et du Canada? D'après toi, comment se compare la population du Québec et celle du Canada à la population de l'Amérique du Nord et à celle du monde?

JE VÉRIFIE MES IMPRESSIONS...

3. À l'aide d'un globe terrestre ou de la carte 319, identifie la partie du continent américain que tu habites et les océans qui baignent l'Amérique du Nord. À l'aide des points cardinaux, situe la position de l'Amérique du Nord par rapport à chacun de ces océans.
4. À l'aide d'un globe terrestre, identifie les trois continents les plus près de l'Amérique du Nord. À l'aide des points cardinaux et intermédiaires, situe la position de l'Amérique du Nord par rapport à chacun de ces continents.
5. À l'aide des graphiques 320 et 321, identifie le continent:
   a) le plus étendu;
   b) le moins étendu;
   c) le plus peuplé;
   d) le moins peuplé.
6. À l'aide du graphique 321, compare l'importance relative des populations du Québec et du Canada par rapport à celles de l'Amérique du Nord et du monde. Qu'observes-tu?
7. À l'aide de la carte 322, identifie les continents où sont situés les cinq plus grands foyers de population de la terre.
8. Trouve quelques facteurs qui amènent les êtres humains à se concentrer à certains endroits de la terre.
9. Trouve quelques points communs et quelques différences entre les milliards d'êtres humains de notre planète.

J'UTILISE MES DÉCOUVERTES...

10. Situe le Québec, le Canada et l'Amérique du Nord sur la carte muette **F-1**.
11. Complète le graphique **F-2** de manière à établir l'importance relative des populations du Québec et du Canada par rapport à celles de l'Amérique du Nord et du monde.
12. Choisis une illustration de ce dossier et commente-la devant la classe en faisant ressortir les ressemblances et les différences entre toi et les personnes représentées sur cette illustration.

318

e globe terrestre est la représentation la plus exacte de la Terre. Tu peux y voir que la surface de notre planète est constituée d'eau et de terre. Ces deux éléments ne sont cependant pas répartis également partout.

LES OCÉANS ET LES CONTINENTS

La plus grande partie de la Terre est recouverte d'eau. En effet, les océans Pacifique, Atlantique, Indien et Arctique recouvrent 70% de la surface du globe. Les grandes masses de terres émergées, qui n'occupent donc que 30% de la superficie, sont les continents. Il y en a six: l'Europe, l'Asie, l'Afrique, l'Amérique, l'Océanie et l'Antarctique.

Les graphiques 320 et 321 donnent la superficie et la population de chaque continent. Comme tu peux le constater, la densité de population est loin d'être uniforme d'un continent à l'autre. L'Antarctique, par exemple, n'a pas de population permanente bien que ce continent soit plus grand que l'Europe ou l'Océanie.

LA RÉPARTITION DE LA POPULATION SUR LA TERRE

L'inégale répartition de la population sur la terre s'explique par plusieurs facteurs géographiques. Parmi ces facteurs, il y a le relief, la végétation, les sols, le climat, l'eau et les ressources naturelles. Les endroits du monde les plus peuplés ont certaines caractéristiques en

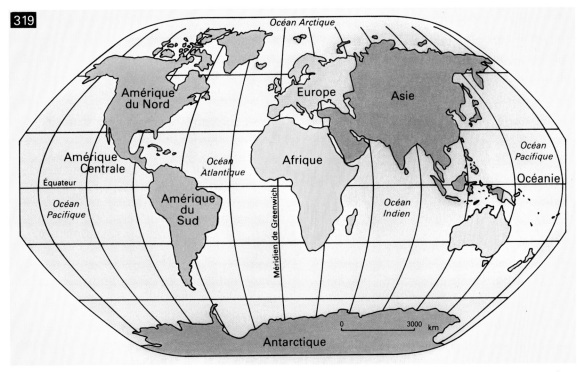

318 Modèle réduit de la terre.

319 Planisphère.

320 Superficie comparée du Québec, du Canada et des continents.

321 Population comparée du Québec, du Canada et des continents.

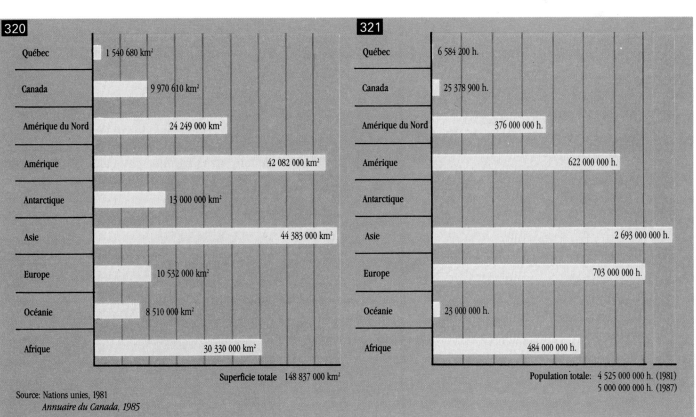

320

Québec	1 540 680 km²
Canada	9 970 610 km²
Amérique du Nord	24 249 000 km²
Amérique	42 082 000 km²
Antarctique	13 000 000 km²
Asie	44 383 000 km²
Europe	10 532 000 km²
Océanie	8 510 000 km²
Afrique	30 330 000 km²

Superficie totale   148 837 000 km²

Source: Nations unies, 1981
Annuaire du Canada, 1985

321

Québec	6 584 200 h.
Canada	25 378 900 h.
Amérique du Nord	376 000 000 h.
Amérique	622 000 000 h.
Antarctique	
Asie	2 693 000 000 h.
Europe	703 000 000 h.
Océanie	23 000 000 h.
Afrique	484 000 000 h.

Population totale: 4 525 000 000 h. (1981)
5 000 000 000 h. (1987)

322 Principaux foyers de population sur la terre.

323 Population du Sud-Est asiatique.

commun. En général, il s'agit de plaines bien arrosées par des cours d'eau, les sols y sont fertiles et le climat y est tempéré ou chaud. La carte 322 te permet de situer cinq endroits où vivent regroupés plusieurs millions de personnes. Bien que ces cinq zones n'occupent que le dixième de la superficie des terres de notre planète, près des deux tiers de la population mondiale y habite.

CINQ MILLIARDS D'ÊTRES HUMAINS SEMBLABLES ET DIFFÉRENTS

Les quelque cinq milliards de personnes qui habitent notre planète ont certains points en commun. En plus d'appartenir à la même espèce, celle des *Homo sapiens*, ces êtres humains ont les mêmes besoins fondamentaux tels que se nourrir, se loger, se vêtir, apprendre, aimer et être aimé. Par ailleurs, ces cinq milliards de personnes forment aussi des groupes différents au point de vue de la race, de la langue, de la religion et du genre de vie.

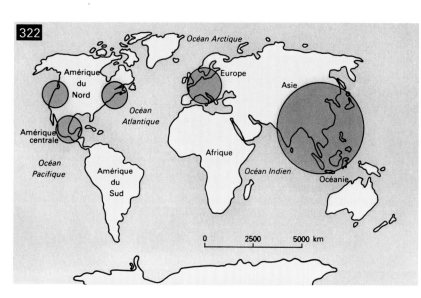

D'où viennent ces différences entre les êtres humains? Il faut d'abord considérer le fait que ceux-ci vivent dispersés sur la terre depuis plus d'un million d'années. Au cours de cette très longue période de temps, les divers groupes humains vivant dans des milieux très variés (désert, montagne, forêt tropicale, froid

arctique) ont dû s'adapter à leur environnement pour survivre. Dans certains cas, l'aspect de leur corps (coloration de la peau, forme des yeux) s'est modifié. Isolés les uns des autres, ces gens ont aussi développé des manières différentes de communiquer entre eux (langue) ou d'entrer en contact avec leurs dieux (religion). Les ressources naturelles disponibles dans leur milieu ont aussi influencé leur genre de vie. Par exemple, ceux qui vivaient dans des vallées fertiles sont devenus plus rapidement des agriculteurs sédentaires que ceux vivant dans des régions boisées ou montagneuses qui sont demeurés longtemps des chasseurs et des cueilleurs nomades.

Aujourd'hui, la technologie moderne favorise le rapprochement des êtres humains et l'unification des modes de vie. Les satellites de communication nous permettent par exemple d'assister en direct à un événement qui se produit en Chine ou en Australie. Grâce à l'avion, tous les points de la planète sont accessibles rapidement. Ces moyens de communication perfectionnés ont facilité les contacts entre les êtres humains. C'est pour cette raison qu'on parle maintenant de la terre comme d'un grand village.

Toutefois, en dépit de tous les progrès techniques, il y a encore de grandes différences entre les conditions de vie des êtres humains. En effet, alors que des êtres humains meurent de faim dans certains pays, ailleurs d'autres souffrent d'obésité pour avoir trop mangé.

324 Zone urbaine de Mexico.

325 Enfants du Népal

326 Taudis au Mexique.

327 Écriture arabe.

328 Éleveurs de bétail au Mali.

329 Adolescents de races différentes.

330 Cérémonie religieuse hindoue au Sri Lanka.

331 Maison de famille riche en Belgique.

28 LE CANADA ET LES PAYS INDUSTRIALISÉS

Le Canada est-il un pays industrialisé?

A C T I V I T É S

JE RÉFLÉCHIS...

1. D'après toi, est-ce que tu vis dans un pays riche ou un pays pauvre? Explique ton choix en donnant quelques exemples.

2. Connais-tu d'autres pays où les gens ont un mode de vie (biens, techniques, services publics, habitudes) semblable à celui des Canadiens et des Canadiennes? Lesquels?

JE VÉRIFIE MES IMPRESSIONS...

3. À l'aide de la carte 333 et d'un globe terrestre, identifie quelques pays industrialisés où les gens ont un mode de vie semblable à celui des Canadiens et des Canadiennes.

4. À l'aide de la carte 333, indique dans quel hémisphère de la terre sont situés la plupart des pays industrialisés.

5. Trouve quelques éléments (biens, techniques, services publics, habitudes) de la vie quotidienne que les Canadiens et les Canadiennes ont en commun avec les habitants d'autres pays industrialisés.

J'UTILISE MES DÉCOUVERTES...

6. Situe sur la carte muette **F-3** les pays industrialisés du monde.

7. Avec tes camarades, réalise un montage collectif illustrant, à l'aide de dessins et de découpures, les aspects caractéristiques du mode de vie des habitants des pays industrialisés.

e Canada fait partie des pays industrialisés. Sur la carte 333, tu peux voir que ces pays se situent, en majorité, dans l'hémisphère Nord de notre planète. Le Canada, les États-Unis, le Japon, l'URSS, l'Australie, la Nouvelle-Zélande et la presque totalité des pays de l'Europe sont considérés comme des pays industrialisés.

COMMENT RECONNAÎT-ON LES PAYS INDUSTRIALISÉS?

Des ind

On reco
qu'ils pc
fonction
pointe t
industri
sont en
les resso
minerai
etc., que
toire ou
industri
sance et
gleterre
plus vie
et 19ᵉ si
sieurs n
saient d
matière
sortes.

332

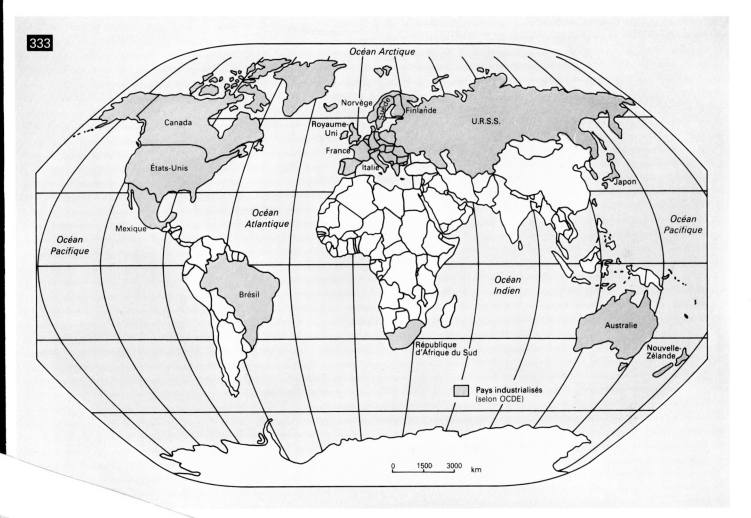

Pays industrialisés
(selon OCDE)

0   1500   3000   km

332 Robots industriels au Japon.

333 Les principaux pays industrialisés.

334 Usine d'assemblage d'automobiles en République fédérale d'Allemagne.

335 Port de Londres.

336 Réseau d'autoroutes de Los Angeles aux États-Unis.

337 Place Navona à Rome en Italie.

Des moyens de transport et de communication efficaces

Les pays industrialisés effectuent beaucoup d'échange commerciaux entre eux et avec les pays en voie de développement. Il arrive fréquemment, par exemple, que les pays industrialisés importent des pays en voie de développement les matières premières (cuivre, bauxite, coton, fruits, etc.) nécessaires pour faire fonctionner leurs usines; il leur faut donc des moyens de transport et de communication adéquats et rapides. Ainsi, au Japon, pays bâti sur un groupe d'îles, l'activité maritime occupe une place importante. Ce pays doit en effet importer plusieurs matières premières de l'étranger et exporter toute une gamme de produits manufacturés.

Les réseaux aériens, ferroviaires et routiers sont aussi très développés dans les pays industrialisés afin d'assurer la circulation des marchandises et le déplacement des personnes.

Une population en majorité urbaine

La majorité des gens des pays industrialisés habitent en ville où se trouvent concentrés les emplois et les services. Le transport en commun, que ce soit le métro ou l'autobus, est largement utilisé par ces citadins qui évitent ainsi le tracas des embouteillages de la circulation.

Une agriculture prospère

Même si le milieu rural est moins habité que le milieu urbain, on y retrouve quand même une qualité de vie comparable à celle des villes. L'agriculture y est passablement modernisée. Par exemple, au Canada comme aux États-Unis, les machines agricoles, les engrais et les techniques de plantations les plus efficaces sont largement utilisés par les agriculteurs et les agricultrices. Cependant, cela coûte cher et beaucoup s'endettent fortement pour faire fonctionner leur ferme.

338 Métro de Paris, France.

339 Agriculture commerciale fortement mécanisée en Ukraine, URSS.

340 Salle d'opération moderne (URSS).

341 Rue commerciale en Australie.

Une abondance de biens et de services

Les nombreuses industries des pays développés permettent à des millions de personnes de gagner leur vie et de recevoir de bons salaires avec lesquels ils peuvent se procurer une foule de services et de biens de consommation disponibles dans les commerces. Par contre, beaucoup de gens ne peuvent se trouver un emploi pour une raison ou une autre. Dans certains pays, ces sans-travail reçoivent des gouvernements une petite allocation qui leur permet de survivre. Les personnes âgées, les personnes handicapées et plusieurs autres groupes ont également accès à de nombreux services sociaux qui leur rendent la vie plus facile.

Des soins de santé accessibles

Les Canadiennes et les Canadiens, comme les autres habitants de pays industrialisés, profitent de conditions de vie supérieures à la moyenne mondiale. Par exemple, il y a moins de bébés et d'enfants qui meurent en bas âge et les adultes vivent en général plus vieux. C'est que ces personnes ont accès facilement à des soins de santé dans les hôpitaux et les cliniques. Ces soins de santé sont aussi de meilleure qualité que dans les pays en voie de développement à cause de la présence de nombreux chercheurs et chercheuses qui disposent du matériel et de l'argent nécessaires pour faire progresser la médecine.

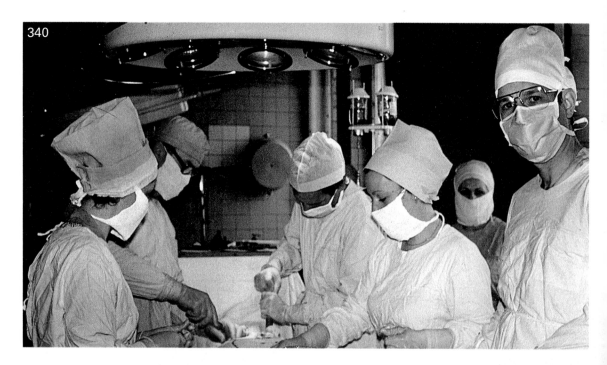

340

341

Un réseau d'écoles bien organisé

La population des pays industrialisés a la chance de pouvoir fréquenter l'école plus facilement et plus longtemps que dans les autres pays. Les écoles primaires et secondaires sont nombreuses autant à la ville qu'à la campagne. Ceux et celles qui veulent continuer leurs études peuvent également fréquenter des collèges techniques et des universités. En plus d'être bien équipées, toutes ces maisons d'enseignement bénéficient des services d'enseignants et d'enseignantes qualifiés.

Une alimentation abondante

Les habitants des pays industrialisés n'ont pas à faire face aux problèmes de la faim puisque la majeure partie de leur population ne manque jamais de nourriture. Au contraire, dans ces pays, beaucoup de gens souffrent d'obésité parce qu'ils consomment trop d'aliments ou, dans certains cas, des aliments sans valeur nutritive.

Une faible natalité

Une autre caractéristique commune aux habitants des pays industrialisés est leur faible taux de natalité. En effet, dans ces pays, rares sont les femmes qui ont plus de deux ou trois enfants. À cause de cette situation, la population des pays industrialisés a augmenté très peu au cours des dernières années.

342 Classe d'initiation à l'informatique au Canada.

343 Des aliments en quantité mais pas toujours de qualité (États-Unis).

344 Randonnée pédestre en montagne (Suisse).

29 LE CANADA ET LES PAYS EN VOIE DE DÉVELOPPEMENT

Le Canada est-il un pays en voie de développement?

A C T I V I T É S

JE RÉFLÉCHIS...

1. D'après toi, que signifie l'expression «pays en voie de développement» utilisée dans le titre de ce dossier?
Selon toi, le mode de vie des habitants de ces pays est-il très différent de celui des Canadiens et des Canadiennes? Explique ce que tu en penses en donnant quelques exemples.

JE VÉRIFIE MES IMPRESSIONS...

2. À l'aide de la carte 346 et d'un globe terrestre, identifie quelques pays en voie de développement.

3. À l'aide de la carte 346, nomme les continents de la terre où sont situés la plupart des pays en voie de développement.

4. Trouve quelques éléments (biens, techniques, services publics, habitudes) de la vie quotidienne dans les pays en voie de développement qui ne sont pas les mêmes qu'au Canada.

J'UTILISE MES DÉCOUVERTES...

5. Situe sur la carte muette F-4 les pays du monde en voie de développement.

6. Avec tes camarades, réalise un montage collectif illustrant, à l'aide de dessins et de découpures, les aspects caractéristiques du mode de vie des habitants des pays en voie de développement.

es Canadiennes et les Canadiens, qui habitent un pays industrialisé, jouissent d'une qualité et d'un niveau de vie différents de celles et ceux qui vivent dans les pays en voie de développement. Tu peux voir sur la carte 346 que ces pays sont situés principalement en Afrique, en Amérique du Sud, en Amérique centrale et en Asie. La population des pays en voie de développement représente près des trois quarts de l'humanité. Il existe cependant des différences marquées entre les pays en voie de développement. Certains ont réussi à faire des progrès alors que d'autres sont encore aux prises avec des problèmes causés par la maladie et la famine.

COMMENT RECONNAÎT-ON LES PAYS EN VOIE DE DÉVELOPPEMENT?

Une population en forte croissance

Dans les pays en voie de développement, malgré un taux de mortalité élevé, la population augmente très rapidement car les femmes ont plusieurs enfants. Cette situation cause de sérieux problèmes autant dans les grandes villes que dans les campagnes. En effet, plus il y a de personnes, plus il faut de logements, d'emplois, de nourriture, de services sociaux, etc. C'est pourquoi dans plusieurs familles des enfants doivent travailler pour venir en aide à leurs parents. L'entraide entre les membres d'une famille joue un rôle important. Il arrive aussi fréquemment que les membres de la parenté demeurent à proximité les uns des autres ce qui favorise les contacts entre les jeunes et les personnes âgées.

345

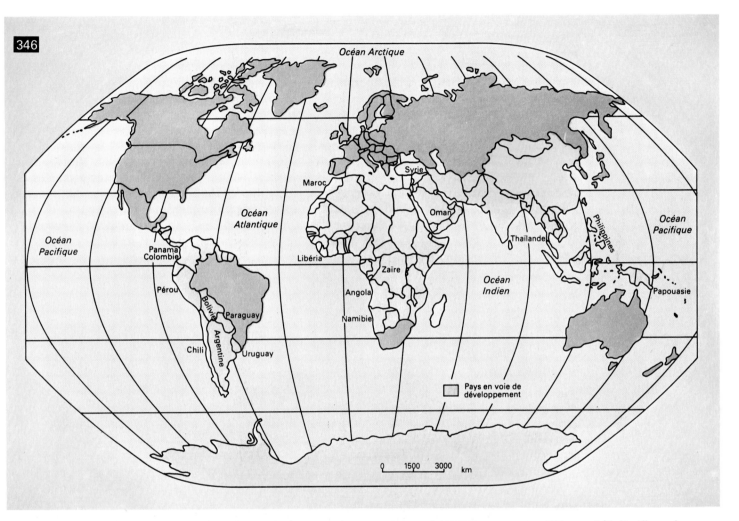

346

Océan Arctique

Océan
Atlantique

Océan
Pacifique

Océan
Pacifique

Maroc

Syrie

Oman

Thaïlande

Philippines

Panama
Colombie

Libéria

Zaïre

Océan
Indien

Papouasie

Pérou

Angola

Bolivie
Paraguay
Argentine

Namibie

Chili

Uruguay

☐ Pays en voie de
développement

0   1500   3000   km

347

345 Famille rurale
nombreuse en Thaïlande.

346 Les pays en voie de
développement.

347 Enfants au travail
au Népal.

348 Écoliers d'une école moderne au Sénégal.

349 Soins de santé en milieu rural africain.

Un réseau d'écoles à compléter

Même si le système d'éducation n'est pas aussi complet qu'au Canada, il faut constater que dans plusieurs pays en voie de développement, l'éducation aux niveaux primaire et secondaire a fait d'énormes progrès depuis les vingt dernières années. Malgré tout, le nombre de personnes adultes qui ne savent ni lire ni écrire dépasse souvent la moitié de la population. Le nombre de jeunes qui s'instruisent pourrait cependant avoir bientôt des effets bénéfiques sur l'ensemble de la population.

dépit des efforts entrepris, il existe encore de nombreuses maladies causées par le manque de conditions hygiéniques élémentaires. C'est le cas tout particulièrement dans les villes surpeuplées où s'entassent plusieurs millions de personnes.

À la campagne, les soins de santé se donnent fréquemment dans de petits établissements appelés dispensaires. On retrouve dans ces endroits un ou deux médecins et parfois quelques infirmières ou infirmiers qui doivent fournir des soins à un grand nombre de

348

349

En dépit du nombre croissant d'écoles primaires et secondaires, le nombre de collèges et d'universités est beaucoup plus faible qu'au Canada. C'est l'une des raisons pour laquelle plusieurs étudiantes et étudiants des pays en voie de développement entreprennent leurs études supérieures au Canada ou dans d'autres pays industrialisés afin de compléter leur formation.

Des soins de santé à développer

Au cours des dernières années, les soins de santé ont fait des progrès remarquables dans plusieurs pays en voie de développement. En

personnes. Là où les médecins sont absents, ce sont souvent les personnes âgées qui prodiguent les soins de santé.

Dans certaines grandes villes, il existe aussi des hôpitaux dans lesquels les équipements médicaux modernes font défaut en raison de leur coût élevé. Le manque d'argent est d'ailleurs l'une des raisons qui explique le fait que, dans les pays en voie de développement, le système d'éducation et le réseau de soins de santé ne soient pas aussi bien développés qu'au Canada.

Une technologie moderne peu utilisée

Dans notre pays, les ordinateurs et les robots industriels sont très utilisés, entre autres dans les usines, les hôpitaux et les aéroports. Plusieurs familles ont même à la maison des appareils informatisés tels qu'un four à micro-ondes, une calculatrice, un micro-ordinateur ou un décodeur pour les signaux de télévision. Toute cette technologie moderne est très peu employée dans les pays en voie de développement car elle coûte trop cher.

Un pouvoir d'achat peu élevé

Contrairement aux Canadiennes et aux Canadiens qui peuvent s'offrir une vaste gamme de services ou de produits, comme un appareil vidéo, une piscine ou des voyages à l'étranger, les gens des pays en voie de développement doivent utiliser leurs petits salaires pour l'achat de biens essentiels tels que des vêtements et de la nourriture. Dans ces pays, la télévision et le téléphone ne sont pas des objets qu'on trouve dans toutes les familles. De plus, l'âne, la bicyclette ou la mobylette sont souvent les seuls moyens de transport que peuvent s'offrir la majorité des gens puisque les automobiles coûtent trop cher.

350 Travail manuel dans une fabrique de perruques en Haïti.

351 Bidonville de Rio de Janeiro (Brésil).

352 Marché de vêtements en plein air en Tunisie.

353 Transport à dos d'âne en Égypte.

354 Rue commerciale de Dakar au Sénégal.

355 Buffle utilisé pour puiser l'eau d'un puits en Égypte.

356 Labourage d'une rizière à l'aide de buffles au Népal.

Il est toutefois important de souligner que plusieurs grandes villes des pays en voie de développement comme New Delhi en Inde, Brasilia au Brésil et Dakar au Sénégal possèdent tous les services que l'on retrouve dans les grandes villes du Canada et des États-Unis. Ainsi, on y trouve divers commerces, hôtels, édifices gouvernementaux et hôpitaux comparables à ceux de Montréal. De plus, la plupart des biens de consommation disponibles au Canada le sont aussi dans ces villes. Cependant, en raison de leur coût élevé, il n'y a qu'une faible minorité de la population qui peut se les procurer.

Une agriculture traditionnelle

En milieu rural, où vit la majorité de la population, tout particulièrement en Afrique et en Asie, c'est l'agriculture qui constitue la principale activité économique. Malheureusement, les paysans utilisent dans beaucoup de cas des techniques traditionnelles et souvent archaïques dans le but de profiter au maximum de leurs petites terres. Par exemple l'utilisation de gros tracteurs et de moissonneuses est très rare en raison de la petite superficie des terres agricoles. De plus, ces équipements aratoires modernes sont beaucoup trop chers pour la plupart des agriculteurs des pays en voie de développement. Ils utilisent plutôt des instruments qu'ils peuvent fabriquer eux-mêmes ou se procurer à peu de frais et qui ne consomment pas ou très peu d'énergie. Le boeuf, le cheval et de nombreux autres animaux sont utilisés lors des travaux agricoles comme le labourage et la moisson. Il faut souligner aussi que dans beaucoup de pays en voie de développement les terres cultivées sont mal irriguées et que les conditions climatiques sont peu favorables à l'agriculture.

Lorsque les paysans réussissent à produire des surplus agricoles, ce sont les femmes, dans la majorité des cas, qui s'occupent de vendre ces produits dans les marchés locaux. Elles s'y rendent à pied ou à dos d'âne ou encore, là où c'est possible, en autobus ou en camion.

Les produits agricoles des campagnes ne peuvent souvent être vendus dans les villes car le réseau routier est en maints endroits en très mauvais état. Au nord de l'Afrique, plusieurs paysans n'ont pas de surplus à vendre. Au contraire, les récoltes sont insuffisantes pour nourrir leurs familles et ils souffrent de la faim. Dans cette région du monde, de nombreuses terres agricoles disparaissent, envahies par le désert. Chaque année, cette situation provoque le déplacement de milliers de personnes.

Une industrie peu diversifiée

L'une des caractéristiques communes aux pays en voie de développement est leur économie peu diversifiée. Par exemple, l'économie de la Gambie, pays situé en Afrique de l'Ouest, est basée sur la culture de l'arachide. Une grande partie de la population de ce pays travaille à la production de l'arachide alors que les autres secteurs sont très peu développés. Tu vois donc que l'économie de ce pays est très vulnérable puisque le gouvernement doit vendre toute la production d'arachides, sinon le pays n'aura pas d'argent pour acheter à l'extérieur les biens et les services qu'il ne produit pas lui-même. Il suffit donc d'une mauvaise récolte ou d'une baisse importante du prix des arachides pour que l'économie de la Gambie soit en sérieuses difficultés. Cet exemple s'applique aussi à plusieurs autres pays en voie de développement dont l'économie repose sur une seule production, que ce soit la canne à sucre, le café, le minerai de cuivre ou le pétrole. C'est la même situation que connaissent certaines petites villes du Québec dont la vie économique dépend entièrement d'une seule industrie.

357 Coupeurs de canne à sucre en République dominicaine.

358 Camp de réfugiés au Sahel.

ACTIVITÉS DE SYNTHÈSE

Attention! Tu peux te référer aux illustrations et aux textes des dossiers 27 à 29 pour réaliser les activités de synthèse.

1. À partir d'un échange d'idées avec tes camarades, établis la liste des moyens que le Canada et les autres pays industrialisés pourraient prendre pour améliorer le mode de vie des habitants des pays en voie de développement.

   Si ta classe le désire, une lettre renfermant vos suggestions de collaboration avec les pays en voie de développement pourrait être expédiée au député fédéral de votre comté ou à l'éditeur d'un journal.

2. Là où c'est possible, inviter en classe une personne [missionnaire, coopérant(e), immigrant(e), etc.] ayant vécu dans un pays en voie de développement afin de discuter avec elle du mode de vie des habitants de ce pays par rapport à celui des Canadiens et des Canadiennes.

BILAN D'APPRENTISSAGE

Attention! Tu peux te référer aux dossiers 27 à 29 pour réaliser le bilan d'apprentissage. Cependant, tu dois faire appel uniquement à ton jugement et à ta mémoire pour faire l'activité accompagnée de ce symbole •.

DOSSIER 27

• 1. Identifie la lettre qui correspond à l'Amérique du Nord sur cette carte.

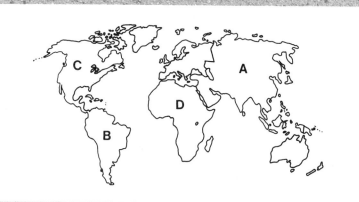

2. Complète ces phrases en utilisant les points cardinaux et intermédiaires de façon à situer l'Amérique du Nord par rapport aux océans et aux continents.

   L'Amérique du Nord est située:
   a) _____ de l'océan Pacifique.
   b) _____ de l'océan Arctique.
   c) _____ de l'Europe.
   d) _____ de l'Asie.

3. Réponds par vrai ou faux.
   a) La population du Canada est plus nombreuse que celle de l'Amérique du Nord.
   b) La population de l'Amérique du Nord est environ 60 fois plus nombreuse que celle du Québec.
   c) La population du monde est environ 200 fois plus nombreuse que celle du Canada.
   d) La population du monde est environ 15 fois plus nombreuse que celle du Québec.

DOSSIER 28

1. Indique, parmi les aspects ci-dessous, ceux qui sont caractéristiques du mode de vie des Canadiens et des Canadiennes et des autres habitants des pays industrialisés.
   a) Habiter en majorité à la ville.
   b) Donner naissance à plusieurs enfants.
   c) Utiliser les animaux pour les travaux agricoles.
   d) Souffrir de la faim.
   e) Travailler dans des usines robotisées.
   f) Avoir accès à des soins de santé de grande qualité.
   g) Consommer en grande quantité des biens et des services.

DOSSIER 29

1. Indique, parmi les aspects ci-dessous, ceux qui sont caractéristiques du mode de vie des habitants des pays en voie de développement.
   a) Élever des familles nombreuses.
   b) Fréquenter en grand nombre l'université.
   c) Gagner des revenus peu élevés.
   d) Se déplacer en auto pour se rendre au travail.
   e) Pratiquer l'agriculture comme principale activité économique.
   f) Travailler à la maison avec son micro-ordinateur personnel.
   g) Travailler en majorité dans des usines.

*L*ES PAYSAGES

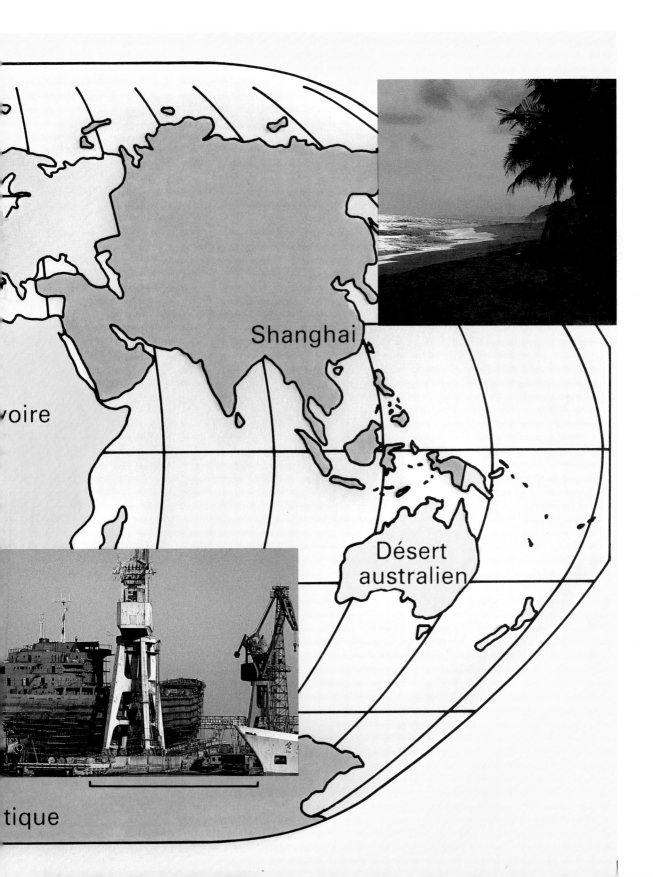

Shanghai

voire

Désert
australien

tique

Les paysages de notre planète se ressemblent-ils?

A C T I V I T É S

DOSSIERS 30, 31, 32

JE RÉFLÉCHIS...

1. D'après toi, quel paysage correspond à chacun des points du globe situés sur la carte de la page précédente? Explique dans tes mots ce qui t'amène à penser que ce paysage représente bien l'endroit auquel tu l'as associé.

2. Parmi les six endroits situés sur la carte, choisis celui dont tu aimerais le plus explorer les paysages. Communique à la classe les motifs de ton choix.

3. Selon toi, à quoi ressemblent les autres paysages du milieu que tu as choisi? Quels traits physiques (formes du terrain, étendues d'eau, végétation, etc.) et quels traits humains (activités économiques, habitations, groupes ethniques, etc.) crois-tu pouvoir observer sur des photos représentant ces paysages?

4. D'après toi, y a-t-il des ressemblances et des différences entre les paysages du milieu que tu as choisi et les paysages du Canada? Explique ce que tu en penses.

JE VÉRIFIE MES IMPRESSIONS...

5. Observe sur un globe terrestre où se trouve l'endroit que tu as choisi par rapport au milieu que tu habites.

6. Recherche les traits physiques et humains caractéristiques de l'endroit que tu as choisi. Ensuite, rassemble tes informations sur une fiche semblable à celle-ci.

7. À partir de la fiche que tu as complétée, trouve deux ou trois liens entre certains traits physiques et certains traits humains du milieu exploré.

8. Compare le milieu que tu as exploré à un milieu de même nature situé au Canada. Par exemple, Montréal ou Toronto pour un milieu urbain, les Prairies ou le Lac-Saint-Jean pour un milieu rural, l'extrême nord de l'Arctique pour un milieu non habité.
   Quelles ressemblances et quelles différences observes-tu?

Endroit				
Relief				
Étendues d'eau				
Climat				
Végétation				
Population				
Conditions de vie				
Transports				

J'UTILISE MES DÉCOUVERTES...

9. Communique à la classe tes découvertes sur les paysages du milieu que tu as exploré.

   Après chaque présentation, suggère à ton enseignant ou à ton enseignante les informations qui devraient apparaître sur un tableau-synthèse semblable à celui-ci.

	Londres	Shanghai	Côte-d'Ivoire	Pérou	Désert australien	Arctique
Relief						
Étendues d'eau						
Climat						
Végétation						
Population						
Conditions de vie						
Transports						

10. À partir du tableau-synthèse réalisé à l'activité précédente, trouve quelques ressemblances et quelques différences entre les paysages des différents milieux.

11. Communique à la classe les découvertes que tu as faites au sujet des ressemblances et des différences entre les paysages du milieu que tu as choisi et un milieu de même nature situé au Canada.

12. À partir du tableau-synthèse réalisé à l'activité 9 et des informations mises en commun à l'activité précédente, quelles conclusions dégages-tu au sujet des ressemblances et des différences entre les paysages du Canada et ceux des milieux étrangers?

30 PAYSAGES URBAINS: LONDRES, SHANGHAI

360

L O N D R E S

Le milieu physique

Localisation

Londres, la capitale du Royaume-Uni, se trouve au sud-est de la plus grande des deux îles de l'archipel britannique, la Grande-Bretagne. Cet archipel est séparé du continent européen par la Manche au sud et par la mer du Nord à l'est.

359 La ville de Londres dans le Royaume-Uni.

360 Vue de la Tamise et du pont de Londres.

361 Basses terres près de Londres.

362 Brouillard londonien.

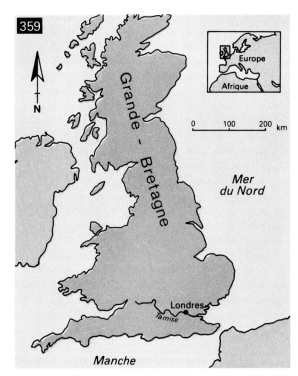

359

361

362

Relief et étendues d'eau

La ville de Londres, située dans une région de basses terres au sol fertile riche en humus, est traversée par la Tamise. Ce fleuve forme un long **estuaire** avant de se jeter dans la mer du Nord. L'important trafic maritime sur l'estuaire de la Tamise a fait de Londres le premier port commercial de la Grande-Bretagne.

Estuaire: *embouchure d'un cours d'eau qui forme un golfe évasé et profond.*

Climat et végétation

La proximité de ces importantes masses d'eau que sont la mer du Nord, la Manche et la Tamise, influence le climat de Londres. Durant l'hiver, la ville connaît un temps doux avec de la pluie et du brouillard, tandis que l'été est souvent frais et humide.

La plaine de Londres était autrefois recouverte par une forêt de chênes. Au cours des siècles, le développement urbain a fait disparaître cette forêt. Les parcs sont toutefois nombreux dans cette ville.

Le milieu humain

363 Londres.

Population

Avec presque 8 millions de personnes, Londres est l'une des villes les plus peuplées du monde. Elle a été fondée par les Romains au 1er siècle. Entre 1850 et 1910, elle était considérée comme la plus importante capitale du monde jusqu'à ce que New York prenne la relève.

La population londonienne est en majorité de race blanche. Londres est aussi une ville très cosmopolite. Des gens de tous les coins du monde sont venus s'y établir. Beaucoup de Londoniens, par exemple, sont originaires de l'Inde, du Pakistan ou des Antilles.

Activités économiques

L'activité économique de Londres repose principalement sur deux secteurs: la politique et les finances. En effet, puisque Londres est une capitale, on y trouve le Parlement britannique et plusieurs édifices où travaillent des milliers de fonctionnaires. De nombreuses banques et compagnies d'assurances y ont aussi leurs bureaux.

363

364 Piccadily Circus, l'un des coins les plus animés de Londres.

365 Hyde Park, le parc le plus célèbre de Londres.

366 Quartier ouvrier.

367 Autobus londonien.

Londres n'est pas qu'une capitale et un grand centre financier, c'est aussi une ville industrielle et portuaire. Les principales industries londoniennes sont les suivantes: transformation des produits alimentaires, vêtements, équipement électronique, produits chimiques, moteurs d'avion, industrie cinématographique, etc. Beaucoup de matières premières et beaucoup de produits alimentaires entrent en Angletrerre par le port de Londres. C'est également de cet endroit que partent vers l'étranger de nombreux produits fabriqués en Angleterre.

Le tourisme constitue une autre industrie importante puisque Londres est l'une des villes les plus visitées au monde. C'est là que se trouve le palais de Buckingham, résidence londonienne des souverains britanniques.

Conditions de vie
La majorité des Londoniens, comme la plupart des habitants des pays industrialisés, profitent de bonnes conditions de vie. Leurs maisons sont confortables et pourvues des services de base tels que l'eau courante, les égoûts et l'électricité.

Transports
Les moyens de transport varient d'une ville à une autre. À Londres, les autobus à impériale, c'est-à-dire à deux étages, donnent un air particulier à la ville. Comme plusieurs grandes villes, Londres possède aussi son métro. C'est d'ailleurs dans cette ville que fut inauguré le premier chemin de fer souterrain du monde, le *Metropolitan*. En plus de ces moyens de transport en commun, beaucoup de Londoniens possèdent une automobile pour se déplacer.

SHANGHAI

Le milieu physique

Localisation

La République populaire de Chine occupe l'extrémité orientale du continent asiatique. Sur la côte est de ce grand pays, se trouve la métropole industrielle et commerciale chinoise, Shanghai.

Relief et étendues d'eau

La ville de Shanghai s'est développée au cours des siècles à l'embouchure du fleuve Yang-tsê kiang. Ce fleuve, un des plus importants du monde, prend sa source dans les hauts plateaux du Tibet et parcourt plus de 5500 kilomètres avant de se jeter dans la mer de Chine.

Près de son embouchure, le Yang-tsê coule au milieu d'une immense plaine qui porte son nom.

Climat et végétation

La plus grande ville de Chine est sous l'influence d'un climat tempéré humide avec des étés chauds (28 °C) et des hivers doux (3 °C). Il y pleut beaucoup durant la période de la **mousson** qui dure de juin à septembre.

Comme dans la plupart des grandes villes du monde, la végétation naturelle a presque disparu de Shanghai. La ville compte cependant quelques parcs.

Mousson: *vent tropical régulier qui apporte des pluies très abondantes.*

368 La ville de Shanghai en Chine.

369 Bateau de marchandises sur le Yang-tsê.

370 Plaine du Yang-tsê près de Shanghai.

371 Bosquets de lotus dans un parc de Shanghai.

372 Les Hans, principal groupe ethnique de la Chine.

373 Filature de soie.

374 Chantier naval.

Le milieu humain

Population

Au 13e siècle, Shanghai était un village de pêcheurs. Elle a véritablement pris son essor vers le milieu du 19e siècle au moment où de nombreux commerçants européens ont obtenu la permission de s'établir sur des terrains vagues à la limite de la ville. Aujourd'hui, sa population s'élève à près de 11 millions de personnes. Ce sont surtout des Hans; c'est ainsi que l'on nomme le principal groupe ethnique de la Chine.

Activités économiques

Shanghai est non seulement le plus important port de Chine mais aussi son principal centre industriel et commercial. Presque tout le coton de Chine qui pousse dans la plaine du Yang-tsê est transformé dans les usines de textile de Shanghai. Outre le textile, il y a des chantiers navals, des acieries, des industries chimiques. On y trouve aussi la plus grande usine de montage de bicyclettes au monde.

Conditions de vie

Les habitants de Shanghai vivent dans des maisons de quelques étages de haut généralement construites en pierre et en brique. Le logement de chaque famille, souvent de faible dimension, est cependant pourvu d'eau courante et d'électricité. Le manque d'eau potable est un problème dans certaines parties de la ville de Shanghai car les besoins sont immenses pour les 11 millions de personnes et les 8000 industries.

À Shanghai, le taux de pollution causée par les voitures est faible en raison du nombre limité de celles-ci. La propreté est d'ailleurs l'une des particularités de la ville. À Shanghai comme dans les autres villes de Chine, presque chaque personne a une occupation. L'oisiveté n'est pas tolérée, il n'y a aucune raison de ne pas travailler.

375

377

376

378

375 L'hiver à Shanghai.

376 Rue commerciale.

377 À Shanghai, la rue appartient aux cyclistes.

378 Intérieur d'un logement.

La vie à Shanghai est bien différente de ce qu'on retrouve dans les grandes villes d'Europe de l'Ouest ou d'Amérique du Nord. Il y a peu d'éclairages lumineux, la publicité est limitée, les autobus et les tramways ne circulent pas durant la nuit et dès 21 heures, les rues sont pratiquement désertes.

Transports
À Shanghai, la bicyclette et l'autobus constituent les deux moyens de transport les plus populaires. Les automobiles sont peu nombreuses. Seules les personnes qui occupent des postes importants dans l'administration du pays ou des usines en possèdent une.

31 PAYSAGES RURAUX: CÔTE-D'IVOIRE, PÉROU

CÔTE-D'IVOIRE

Le milieu physique

Localisation

La Côte-d'Ivoire est un des nombreux pays du continent africain. Il est situé sur la côte ouest de l'Afrique, juste au-dessus de l'équateur. Il est entouré du Libéria et de la Guinée à l'ouest, du Mali et du Burkina Faso (Haute-Volta) au nord et du Ghana à l'est. La partie sud du pays est bordée, sur 550 kilomètres de côtes sablonneuses, par le golfe de Guinée.

379 La Côte-d'Ivoire et ses voisins d'Afrique.

380 Plage de sable.

381 Relief valonneux.

382 Forêt équatoriale.

Relief et étendues d'eau

À la côte basse et sablonneuse du sud du pays, succède un plateau de **savanes** qui s'élève doucement vers le nord et l'ouest. La Côte-d'Ivoire est un pays relativement plat où le relief est caractérisé par des plateaux valonneux et des collines.

De nombreux fleuves coulent vers le golfe de Guinée, alimentés par d'innombrables rivières qui arrosent l'ensemble du pays.

Savanes: *vastes prairies des régions tropicales pauvres en arbres et en fleurs où vivent de nombreux animaux.*

Climat et végétation

Comme tous les pays situés près de l'équateur, le climat de la Côte-d'Ivoire est chaud et humide toute l'année et les précipitations y sont très abondantes. Ces pluies équatoriales qui alimentent les cours d'eau et les font déborder ont aussi tendance à laver le sol de sa couche de terre fertile.

Il n'en demeure pas moins que la végétation naturelle de la Côte-d'Ivoire est très exubérante. La chaleur et les fortes pluies favorisent la croissance des arbres et des plantes. La forêt couvre surtout le sud du territoire où les pluies sont plus abondantes faisant place graduellement à la savane vers le nord. Les principales essences d'arbres sont l'acajou et le teck dont le bois précieux est très recherché.

La forêt ivoirienne a été surexploitée au cours des trente dernières années. Les autorités gouvernementales se préoccupent cependant de classer leurs forêts en parcs nationaux et de reboiser de vastes territoires en privilégiant les essences rares et précieuses. À plusieurs endroits, les espaces défrichés ont aussi fait place à des plantations de caféiers et de cacaoyers.

Le milieu humain

Population

La Côte-d'Ivoire compte près de 9 millions d'habitants. La population ivoirienne est composée de nombreux groupes ethniques dont les principaux sont les Malinkés, les Voltaïques, les Mandés-Sud, les Krous, les Lagunaires et les Akan.

Activités économiques

La majorité des Ivoiriens vivent de l'agriculture, une agriculture diversifiée en cultures **vivrières** et en produits d'exportation. Les cultures vivrières (manioc, riz, igname, maïs, arachide) assurent l'alimentation de base de la population. Les produits agricoles destinés à l'exportation comprennent le cacao, le café, la noix de coco, les bananes, le caoutchouc et le coton.

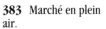

La Côte-d'Ivoire est d'ailleurs le premier producteur mondial de graines de cacao. Contrairement au riz, les graines de cacao qui sont cueillies pratiquement à l'année longue, ne servent pas à l'alimentation des Ivoiriens. Bien au contraire, puisqu'un bon nombre de paysans de ce pays n'ont jamais goûté ou vu de chocolat. Ceci s'explique par le fait que les graines de cacao sont transportées vers la grande ville d'Abidjan pour être exportées vers l'Europe ou les États-Unis où elles sont transformées en chocolat.

Les graines de cacao se trouvent dans une cabosse qui est le fruit du cacaoyer. Ces cabosses poussent sur le tronc même de l'arbre ou sur les branches inférieures. On les cueille à l'aide d'une machette et d'un long bâton. Lorsque l'on en a ramassé un grand nombre, on rassemble plusieurs personnes qui auront la tâche de les vider. Chaque cabosse contient entre 20 et 40 graines de cacao. Les personnes les plus habiles réussissent à casser 25 cabosses en une minute. Après avoir retiré les graines de cacao on les laisse sécher pendant plusieurs jours. Par la suite, elles sont expédiées par camion vers Abidjan.

Vivrières: *cultures dont les produits sont destinés à l'alimentation.*

383 Marché en plein air.

384 Cacaoyer chargé de cabosses.

385 Graines de cacao séchées.

386 Les cabosses sont fendues pour en extraire les graines de cacao.

387 On trouve encore des huttes en milieu rural.

388 Abidjan, ville moderne.

389 Le camion, moyen de transport en commun, à la campagne.

385

386

387

Conditions de vie

La plupart des paysans de la Côte-d'Ivoire possèdent leur propre terre. Ils vivent assez bien si on les compare aux paysans des pays voisins tels que la Guinée, le Mali ou la Haute-Volta. Le rythme spectaculaire de la croissance économique de la Côte-d'Ivoire en a fait le pays le plus favorisé et le plus stable d'Afrique.

388

Les agriculteurs de la Côte-d'Ivoire habitent généralement des huttes dont les murs sont fabriqués d'argile, de bambou et de roseaux et les toits de morceaux d'acier et de chaume. Ces demeures n'ont souvent ni eau, ni électricité. Cependant, la grande ville d'Abidjan est une ville très moderne.

Transports

La plupart des exportations du pays s'effectuent par le port d'Abidjan. À l'intérieur, le transport des gens et des marchandises se fait surtout par camion et par chemin de fer.

389

PÉROU

Le milieu physique

Localisation

Le Pérou est situé en Amérique du Sud tout près de l'équateur. Il est bordé à l'ouest par l'océan Pacifique, au Nord par l'Équateur et la Colombie, à l'est par le Brésil et la Bolivie et au sud par le Chili. Le Pérou est situé dans l'hémisphère Sud de notre planète.

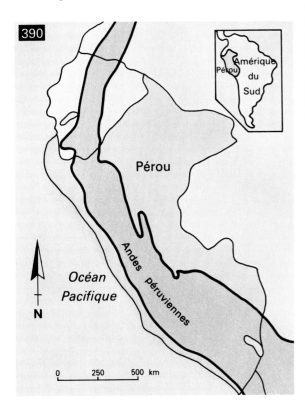

Relief et végétation

Le relief du Pérou est divisé en trois grandes unités naturelles. La région de la côte du Pacifique, étroite et longue de 2200 kilomètres est désertique.

Au centre, la cordillère des Andes qui occupe un tiers du pays, s'étire du nord au sud. Les plus hauts sommets sont couverts de glaciers. Au centre de la cordillère, à environ 4000 mètres d'altitude, se trouvent les hauts plateaux où poussent une herbe dure et rare. Le versant est des Andes est couvert d'une forêt

tropicale dense. La végétation naturelle des vallées comprend surtout des eucalyptus et une variété de saule pleureur.

À l'est, le relief s'adoucit et devient une grande plaine appelée Amazonie péruvienne. Cette région est couverte d'une forêt tropicale dense et toujours verte.

Étendues d'eau et climat

Sur la longue côte du Pacifique, le climat est frais et les précipitations très faibles. Les rivières qui dévalent des montagnes sont nombreuses. Leur eau est très précieuse car elle sert à l'irrigation des terres arides de cette région.

Le climat des Andes est froid à haute altitude avec de grandes variations de température par beau temps. Les cours d'eau qui naissent dans

390 Le Pérou.

391 Végétation naturelle des Andes péruviennes.

392 Les Andes péruviennes.

393 Habillement des Péruviens des Andes.

394 Péruvienne et son enfant.

395 Épis de maïs péruviens.

396 Culture en terrasses du maïs.

397 L'aménagement de terrasses permet de pratiquer l'agriculture même sur le flanc des montagnes.

cette région coulent soit vers le Pacifique, soit vers le centre du continent. C'est là que l'Amazone, un des plus grands fleuves du monde, prend sa source. Au sud du pays, dans la région des hauts plateaux, se trouve le lac Titicaca. À une altitude de plus de 3800 mètres, c'est le lac le plus élevé de la planète.

Dans la plaine amazonienne, à l'est des Andes, le climat est de type tropical chaud et humide. Les précipitations sont très abondantes. L'été dure d'octobre à avril. C'est la saison des pluies. Durant les autres mois, c'est l'hiver, la saison sèche. Il peut te sembler bizarre d'entendre parler de l'été au mois de décembre et de l'hiver au mois de juillet. S'il en est ainsi, c'est que les saisons dans l'hémisphère Sud sont inversées par rapport à celles de l'hémisphère Nord.

Le milieu humain

La population
La population du Pérou s'élève à plus de 19 millions de personnes. Ces gens sont les descendants des Incas qui régnaient sur toute la région avant l'arrivée des Espagnols au 16ᵉ siècle. Ces Amérindiens avaient construit des villes, des temples et des forteresses avec une ingéniosité qui surprend encore aujourd'hui. Il reste cependant peu de descendants directs des Incas. Plus de 40% des Péruviens sont des métis dont les ancêtres étaient des Amérindiens et des Espagnols.

Activités économiques

L'exploitation du minerai de cuivre est une importante activité économique du Pérou. Cependant, l'agriculture occupe toujours la place la plus importante parmi les activités économiques de ce pays. Comme le riz en Chine, la culture du maïs dans les Andes péruviennes est importante pour les gens puisqu'il sert à préparer plusieurs aliments de base. Par exemple, la farine de maïs entre dans la fabrication de galettes très nutritives, de bouillies, de gâteaux et le plant de maïs sert à l'alimentation du bétail.

Le maïs est cultivé dans les vallées où le sol est plus fertile et le climat plus doux. On le récolte souvent sur des brûlis qui sont des endroits où la végétation naturelle a été incendiée afin de rendre le sol plus fertile. Le maïs est une culture bien adaptée aux Andes puisqu'on peut le cultiver jusqu'à 4000 mètres d'altitude là où les températures sont assez fraîches. L'eau qui sert à l'irrigation des champs de maïs provient des montagnes environnantes.

Conditions de vie

Les paysans des Andes péruviennes sont en général assez pauvres. Cette région montagneuse étant difficilement accessible, les gens qui l'habitent n'ont pas accès à certains services tels que l'électricité, le transport en commun et les hôpitaux. La maison typique d'une famille de paysans péruviens comprend un seul étage et les matériaux utilisés sont le bois et la pierre.

Transports

Le camion est le moyen de transport public le plus répandu pour se déplacer sur de longues distances. Comme moyen de transport local, les Péruviens des Andes utilisent les ânes, les lamas et de petits camions. À cause du relief accidenté de cette région, les routes sont rares et celles qui existent sont étroites et dangereuses.

398 Maison typique d'une famille de paysans.

399 Le lama est utilisé pour le transport des personnes et des marchandises.

32 PAYSAGES INHABITÉS: DÉSERT DE L'AUSTRALIE, ANTARCTIQUE

DÉSERT DE L'AUSTRALIE

Le milieu physique

Localisation

L'Australie est la plus grande île du monde. Elle est située dans l'hémisphère Sud, entre l'océan Pacifique à l'est et l'océan Indien à l'ouest. Une des particularités du continent australien est qu'environ le tiers de son territoire se compose de sols désertiques. Ce désert est situé au centre-ouest de l'Australie.

400 Le désert australien.

401 Formation rocheuse d'Ayers Rock.

402 Cours d'eau asséché.

403 À cause de la sécheresse du sol, la végétation du désert est pauvre et clairesemée.

404 Émeu.

405 Kangourou.

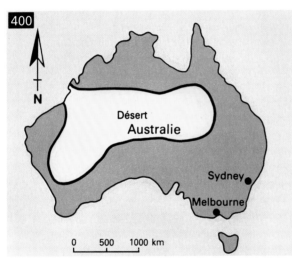
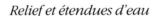

Relief et étendues d'eau

Le désert australien repose sur une surface plane entrecoupée ici et là par certaines élévations. La plus curieuse est certes celle d'Ayers Rock, un gros rocher de 348 mètres de haut qui interrompt la monotonie de la plaine désertique.

Les cours d'eau sont rares dans le désert de l'Australie. Il y en a cependant quelques-uns qui coulent de façon intermittente selon les saisons.

Climat et végétation

Le climat du désert australien est caractérisé par un ciel toujours bleu et de très faibles précipitations. En effet, il ne tombe environ qu'une dizaine de centimètres de pluie par année. Les saisons se répartissent ainsi: été (décembre à février), automne (mars à mai), hiver (juin à août), printemps (septembre à novembre). Janvier est le mois le plus chaud.

Le désert de l'Australie est aride. La végétation y est limitée à quelques touffes d'herbes et à quelques broussailles. On y trouve aussi certains arbres tels que l'eucalyptus et l'acacia qui possèdent des racines très profondes qui leur permettent de puiser le plus d'eau possible du sol.

Faune

On trouve en Australie plusieurs espèces d'animaux qui ne se retrouvent nulle part ailleurs. Par exemple, le kangourou, qui est un marsupial, est l'une de celles-là. Le marsupial se caractérise par la présence d'une poche ventrale où logent les petits. L'émeu, gros oiseau incapable de voler et ressemblant à une autruche, est également typique du désert australien.

406 Aborigènes
d'Australie.

407 Abri pour se
protéger du vent et du
sable lors de la cuisson
des aliments.

408 Le camion est un
véhicule adapté au désert.

Le milieu humain

Population
Le désert de l'Australie est pratiquement inhabité. Seuls quelques aborigènes y vivent. Ils sont les descendants des premiers habitants de l'Australie.

Activités économiques
Les ressources naturelles sont rares dans le désert australien. Le manque de précipitation et la pauvreté des sols y rendent l'agriculture impossible. Il n'y a pas non plus d'usines car la population est très peu nombreuse.

Conditions de vie
Les conditions de vie des aborigènes se sont améliorées depuis les trente dernières années. Beaucoup de ceux qui habitent le désert logent dans de petites maisons pourvues des services essentiels. Par contre, comme les Amérindiens du Canada et les autres groupes minoritaires à travers le monde, ils sont aux prises avec la pauvreté. Parmi tous les Australiens, ce sont eux les moins bien logés, les moins en santé et les moins instruits.

Transports
À cause de la vaste étendue du désert australien, l'avion est le moyen de transport public le plus approprié et le plus populaire sur de longues distances. Pour des distances plus courtes, on utilise l'automobile et le camion.

L'ANTARCTIQUE

Le milieu physique

Localisation
L'Antarctique est le continent le plus au sud de notre planète. Il est situé à l'intérieur du cercle polaire antarctique.

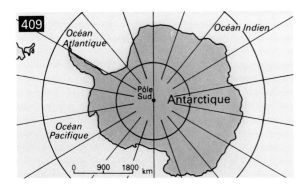

Relief et étendues d'eau
L'Antarctique est recouvert par une énorme masse de glace qui peut atteindre 2000 mètres d'épaisseur. Le relief du continent est accidenté et le plus haut sommet est le mont Vinson qui s'élève à plus de 5000 mètres.

L'Antarctique est entouré par trois océans: l'Atlantique, le Pacifique et l'océan Indien. Sur ce continent, il n'y a cependant pas de grands fleuves ou de grandes rivières comme au Canada. La raison en est simple: l'Antarctique est recouvert de glace à l'année longue, à l'exception d'environ 2% de son territoire.

409 L'Antarctique.

410 Zone de terrain plat.

411 Relief montagneux.

412 Herbes courtes où l'albatros fait son nid durant le court été.

413 Colonie de manchots.

Climat et végétation

Le continent Antarctique est à la fois l'endroit le plus froid, le plus venteux, le plus sec et le plus isolé de la planète. Pendant la noirceur de l'hiver (juin à août), les températures baissent souvent au-dessous de -60 °C, alors qu'en été (décembre à février), lorsque seulement 2% du territoire est libre de glace et de neige, celles-ci restent généralement sous le point de congélation. Les précipitations sur ce continent sont pratiquement nulles, moins de trois centimètres par année.

Durant le court été, là où le sol est découvert, quelques mousses et lichens réussissent à pousser. À cause de l'absence de végétation et des précipitations très faibles, l'Antarctique est considéré comme un désert froid.

Faune

Quelques animaux ont réussi à s'adapter au rude climat de l'Antarctique. Parmi eux il y a le manchot, le phoque et la baleine.

Le milieu humain

Population
À cause des conditions climatiques très hostiles, aucun groupe autochtone n'a réussi à s'installer en Antarctique. Ce continent n'est donc pas un pays et, de plus, il n'appartient à aucune nation. Le territoire de l'Antarctique est considéré comme un immense centre de recherche scientifique où des études, entre autres en météorologie, en géologie et en océanographie, sont effectuées. Près de vingt-cinq pays y envoient des expéditions scientifiques dans l'une ou l'autre des cinquante stations de recherche du continent.

Activités économiques
Selon les recherches effectuées à ce jour, il n'est pas impossible qu'il y ait du pétrole et différents types de minerais en Antarctique. Ces ressources naturelles ne sont toutefois pas encore exploitées et risquent de ne pas l'être pendant plusieurs années encore. L'exploitation de ces richesses est en effet très difficile à cause des conditions du milieu.

Conditions de vie
Les chercheurs et les chercheuses qui se rendent dans l'Antarctique sont pour la plupart très soucieux de préserver l'équilibre très fragile de ce milieu naturel. Toutefois, la situation risque de changer rapidement si l'exploitation de certaines ressources naturelles est entreprise.

Transport
L'avion et le bateau sont les deux moyens de transport utilisés par les scientifiques qui se rendent en Antarctique. Sur le continent, ils utilisent l'hélicoptère, l'avion sur skis, les véhicules tout terrain et la motoneige.

414 Seuls des scientifiques séjournent en Antarctique.

415 Centre de recherche.

416 L'hiver antarctique.

B I L A N
D ' A P P R E N T I S S A G E

Attention! Tu peux te référer aux illustrations et aux textes des dossiers 30 à 32 pour réaliser le bilan d'apprentissage.

DOSSIERS 30, 31, 32

1. Identifie une ressemblance entre le relief de la ville de Londres et celui de la ville de Shanghai.

2. Identifie deux activités économiques importantes de la ville de Shanghai.

3. Quel trait physique explique la présence d'un port et d'importants chantiers navals à Shanghai?

4. Trouve deux traits physiques qui expliquent la présence d'une forêt tropicale en Côte-d'Ivoire.

5. Trouve une ressemblance et une différence entre la maison des paysans du Pérou et celle des paysans de la Côte-d'Ivoire.

6. Trouve une ressemblance et une différence entre le climat du désert de l'Australie et celui de l'Antarctique.

7. Choisis la région du Canada dont les paysages ressemblent le plus à ceux de l'Antarctique.
   a) Les Prairies.
   b) L'Arctique.
   c) La côte atlantique.
   d) Le sud de l'Ontario.

8. Choisis la région du Canada dont le relief ressemble le plus à celui du Pérou.
   a) Les Prairies.
   b) L'Arctique.
   c) Les Rocheuses.
   d) Le sud de l'Ontario.

ÉVALUATION DE L'ACTIVITÉ

Tu trouveras, sur la fiche de la page suivante, quelques suggestions pour évaluer tes activités de sciences humaines au cours de l'année. Bien sûr, il serait trop long de tenir compte de tous les aspects mentionnés, face à une même activité. Il t'appartient de choisir, avec ton enseignant(e), les points les plus intéressants à examiner compte tenu de l'activité vécue.

Dans certains cas, tu trouveras suffisant de réfléchir pour ton seul bénéfice sur un ou deux points. Dans d'autres cas, tu pourras communiquer oralement ou par écrit le résultat de ta réflexion à ton enseignant(e)ou à tes camarades.

MON AUTO-ÉVALUATION

TITRE DE L'ACTIVITÉ: _____

1. Qu'est-ce que je m'étais proposé de faire?

_____

2. L'activité m'a-t-elle intéressé(e)? Pourquoi?

_____

3. Qu'est-ce que j'ai appris grâce à cette activité?

_____

4. Qu'est-ce que je pense de cette activité?

_____

5. Est-ce que j'ai eu suffisamment de temps pour recueillir mes informations, les organiser, les présenter?

_____

6. Est-ce que j'ai réalisé ce que je me proposais de faire? Sinon, pourquoi?

_____

7. L'idée que j'avais de mon sujet d'étude au départ est-elle demeurée la même ou a-t-elle été modifiée?

_____

8. Est-ce que j'ai réussi à communiquer les découvertes que j'ai faites?

_____

9. Si j'avais à revivre cette activité, est-ce que je procéderais de la même façon?

_____

10. Qu'est-ce que j'ai fait pour aider mon groupe de travail?

_____

11. Qu'est-ce que je me pose encore comme questions sur le même sujet?

_____